Kermanschah

I R A N

N

0 50 km

Susanne Fischer

MEINE FRAUEN-WG IM IRAK oder

Die Villa am Rande des Wahnsinns

Mit 32 farbigen Fotos und einer Karte

MALIK

Alle Fotos: privat;
bis auf Bildteil S. 1 oben © Christoph Reuter;
S. 2 oben, S. 3 oben, S. 8 oben © Erwin Decker;
S. 6 unten, S. 7, S. 10, S. 11 oben, S. 14 unten, S. 16 unten
© Niaz al Bayati.

ISBN-13: 978-3-89029-325-7
ISBN-10: 3-89029-325-5

Karte: Eckehard Radehose, Schliersee
Satz: Satz für Satz. Barbara Reischmann, Leutkirch
Druck und Bindung: Ebner & Spiegel, Ulm
Printed in Germany

www.malik.de

INHALT

WINTER

Aufbruch

Ein Jahr mit Fremden zusammenzuarbeiten und -zuleben unter einem Dach und anschließend ein Buch darüber zu schreiben ist ein heikler Akt. Ich danke meinen Mitbewohnerinnen und Kollegen für das Vertrauen, das sie mir mit ihrem Einverständnis zu diesem Buch geschenkt haben. Ohne ihre ausdrückliche Ermunterung und Zustimmung hätte ich mich schwergetan, ein so privates Stück aus unser aller Leben zu veröffentlichen.

Ich beschreibe unsere Zeit in der Wohngemeinschaft so, wie ich sie erlebt habe und erinnere. Es sind alles wahre Begebenheiten, reale Personen – dennoch bleibt es eine subjektive Erzählung, ist das Buch keine historische Chronik. Viele Details habe ich aus E-Mails und Tagebuchnotizen, andere aus der Erinnerung zusammengefügt.

In wenigen Fällen habe ich Namen und Umstände verändert, in der Regel dann, wenn es galt, aus Sicherheitsgründen oder auf persönlichen Wunsch die Identität einer Person zu verschleiern.

Suleimania, im Sommer 2006
Susanne Fischer

Annäherung

»Ich wünsche dir, daß du dich immer wunderst. An dem Tag, an dem du aufhörst, dich zu wundern – hörst du auf zu denken, vor allem aber – zu fühlen.«

Ryszard Kapuscinski

Gefühltes Kurdistan

In einem Haus zu wohnen und zu arbeiten mit Frauen, die sich nie zuvor gesehen haben und aus fünf verschiedenen Ländern kommen, ist wohl an jedem Ort der Erde eine vielschichtige Erfahrung. Aber mit nur fünf Stunden Strom am Tag, begrenztem Heißwasservorrat, Wächtern mit Kalaschnikow vor dem Haus, verschiedenen Kulturen auf engstem Raum und einer noch fremderen Kultur vor der Tür führen wir seit dem Frühjahr 2005 eine Wohngemeinschaft unter verschärften Bedingungen.

Zusammengebracht hat uns unsere Arbeit für das *Institute for War and Peace Reporting (IWPR)*, eine internationale Hilfsorganisation, die durch die Ausbildung unabhängiger Journalisten Demokratie in ehemaligen oder Noch-Diktaturen sowie in Bürgerkriegsregionen fördert. Jede von uns will, aus unterschiedlichen Motiven, beim Aufbau einer freien Presse im Irak helfen. So ist eine australisch-amerikanisch-deutsch-irakisch-südkoreanische Frauen-WG im irakischen Kurdistan entstanden, die sich als lebensverändernder Feldversuch entpuppt, wie ihn keine von uns auch nur annähernd erwartet hat.

Kurdistan – wo liegt das eigentlich? Gibt es das überhaupt? Ein Staat namens Kurdistan existiert nicht, und doch bezeichnen sich weltweit 25 bis 30 Millionen Menschen als Kurden. Sie leben in der Türkei, in Syrien, in einigen GUS-Staaten der ehemaligen Sowjetunion, im Iran und eben im Irak. Und natürlich in der Diaspora, vor allem in Europa (rund eine halbe Million allein in Deutschland) und in den USA.

»Kurdistan« ist ein höchst politischer Begriff. Versuchen Sie mal, mit einem Buch oder einer Landkarte, die dieses Wort verzeichnen, in die Türkei zu fahren. Dann wissen Sie, daß Namen in der Welt der Politik alles andere sind als Schall und Rauch.

Es gibt kein Land namens Kurdistan, und doch gibt es Orte auf dieser Welt, an denen der Reisende sofort spürt: Jetzt bin ich im Land der Kurden. Gefühltes Kurdistan.

Mir geht es so in den nördlichen Provinzen des Irak, von Zacho gleich hinter der türkischen Grenze bis hinunter nach Khanakin im südlichsten Winkel der Provinz Germian. Sprache, Traditionen, Kleidung, Musik und Kultur sind so offensichtlich kurdisch, daß es mir seltsam vorkäme, nicht von Kurdistan zu sprechen. Kann, darf es so etwas geben wie eine gefühlte Nation in unserer penibel geordneten Welt der Staaten, in der eines unserer existenziellen Identifikationsmerkmale die Staatsangehörigkeit ist?

Ich schreibe im folgenden Kurdistan, weil mir alles andere nach einem Jahr vor Ort künstlich schiene. Niemand in Suleimania oder Erbil, keiner meiner kurdischen Kollegen und Freunde sagt je »Irakisch-Kurdistan« oder »die kurdischen Gebiete im Irak«. Eine politische Aussage treffen will ich damit nicht.

Unsere Frauen-WG also liegt in Kurdistan. Das gilt im Westen gemeinhin als der fortschrittlichste Teil Iraks. Vielleicht weil die Religion dort weniger wirkmächtig ist als im Süden. Vielleicht weil weniger Frauen ein Kopftuch tragen, gar die eine oder andere einen kurzen Rock. Oder weil hier nicht Mord und Bomben Alltag und Schlagzeilen beherrschen und es seit Herbst 2005 sogar Direktflüge gibt von Frankfurt nach Erbil, der Hauptstadt Kurdistans.

Das ist alles nicht falsch. Und doch nur ein Teil der Wirklichkeit.

Wer mehr als ein paar Wochen in Kurdistan verbringt, spürt, wie dünn der Schorf über den Wunden der Vergangenheit noch ist. Zwar haben die Kurden ihr Gebiet seit 1991 unter dem Schutz der Vereinten Nationen und der von Briten und Amerikanern sanktionierten Flugverbotszone autonom verwaltet. Doch der große Feind Saddam Hussein lauerte stets sprungbereit. Immer wieder gab es An- und Übergriffe. Kam die Gewalt mal nicht von außen, rieben die verfeindeten Parteien der beiden Kurdenführer Masoud Barzani und Dschalal Talabani ihr Volk in einem jahrelangen Bürgerkrieg auf. Zudem lebten nicht alle irakischen Kurden innerhalb der sicheren autonomen Zone. Die Stadt Khanakin etwa blieb bis zum Sturz Saddams am 9. April 2003 unter der Herrschaft der Baath-Partei.

Gemessen an Jahrhunderten des Kampfs gegen Unterdrückung und Verfolgung ist der Krieg für die Kurden im Irak also erst seit kurzem vorbei; den Übergang zur Friedensgesellschaft haben sie noch vor sich.

»Dies ist immer noch ein wundes Land«, sagt Michael, ein britischer Journalist, durch seinen Vater selbst halber Kurde, der uns häufig in Suleimania besucht. »Zu oft haben die Kurden erlebt, daß eine vielversprechende Lage sich plötzlich verkehrte – oft auch durch eigenes Verschulden oder das ihrer Führer.« Der Glaube ans Glück, das merken wir selbst bald, ist unter Kurden nicht sehr ausgeprägt.

Wer, zumal als Frau, mehr als ein paar Wochen in Kurdistan lebt, lernt noch eine andere, dunkle Seite Kurdistans kennen. Eine, die aus Freude darüber, daß es wenigstens eine Region im Irak gibt, in der nicht täglich ein Auto in die Luft fliegt und Dutzende Menschen in den Tod reißt, leicht übersehen wird.

Unter der dünnen Firnis der Zivilisation und des Fortschritts lebt ein patriarchalisches, konservatives, bisweilen gnadenloses Kurdistan fort. Wo Frau sein immer noch heißt, sich den lokalen Traditionen zu unterwerfen oder soziale Ächtung zu riskieren bis hin zum wenig ehrenvollen »Ehrenmord«, der auch in Deutschland immer wieder Schlagzeilen macht.

Frauen mögen in Jeans, mit grellem Make-up und ohne Kopftuch unterwegs sein – von der westlich-modernen Welt Hamburgs oder New Yorks, wo meine Mitbewohnerinnen und ich normalerweise leben, ist Kurdistan trotzdem Lichtjahre entfernt. Nicht weil es einfach rückständig wäre. Sondern weil es anders ist. Vor allem für Frauen. Das hat auch, aber nicht nur und nicht einmal hauptsächlich mit dem Islam zu tun.

Von diesem Anderssein und wie wir, Großstadtfrauen aus dem Westen, damit zurecht- oder nicht zurechtkommen, davon erzählt dieses Buch.

Ich könnte auch sagen: von meinem Jahr als *Alien*.

Wie lebt es sich, wenn die Nachbarn skeptisch gucken und der Boss aus London empfiehlt, wir sollen uns wie »Nonnen«

benehmen? Wie sehen wir die kurdischen Frauen, wie sehen sie uns? Ist Freundschaft möglich, wenn schon ein gemeinsamer Besuch im Freibad – am Frauenschwimmtag! – scheitert an echten oder vermeintlichen Traditionen (»Kurdinnen schwimmen nicht unter freiem Himmel«)? Und: Wo verläuft die Grenze zwischen Respekt und Verbiegung? Wie weit können, wie weit sollen wir gehen mit unserem Anpassungsprozeß, ohne unseren Auftrag zu verraten, das Eintreten für Demokratie, zu der nach unserem Verständnis eben auch die Gleichberechtigung gehört?

Natürlich wußte ich vor meiner Ankunft, daß ich in Kurdistan anders leben würde, anders leben müßte als in Hamburg oder Berlin. Doch hätte ich mich schwergetan, tagsüber als Dozentin für freien, unabhängigen und couragierten Journalismus aufzutreten und mich dann abends nicht ohne männliche Begleitung in ein Restaurant zu wagen.

Mein Leben, meine Arbeit, mein Dasein als Journalistin und als Frau: Für mich hängt alles mit allem zusammen, jede Facette ist ein Teil vom Ganzen, und als in Europa und in den USA sozialisierte Frauen bringen wir nicht nur professionelles Wissen aus der Welt der Medien mit, sondern stehen auch für einen westlichen weiblichen Lebensentwurf. Einen, der anderen Normen folgt als in Kurdistan üblich und mehr Wahlmöglichkeiten und individuelle Freiheit für Frauen gewährt.

So zu tun, als sei das nicht so, und mich einfach dem einheimischen Sozialkodex für Frauen zu unterwerfen hätte ich als unaufrichtig empfunden, fast als Verrat. Auf jeden Fall aber als vertane Chance.

Ich habe nie viel übrig gehabt für Europäerinnen, die – sei es, weil sie es schick finden, sei es aus kultureller Verklärung – Kopftuch tragen, selbst dort, wo es für sie nicht zwingend ist, und die, sobald sie in Rufweite einer Moschee geraten, zu vergessen scheinen, daß es so etwas wie Frauenrechte gibt.

Wenn wir, meine Mitbewohnerinnen und ich, wenigstens winzige Flecken neuen Terrains für kurdische Frauen erschließen können, ist es die vielen mißbilligenden, oft auch nur überraschten Blicke der Männer wert, wenn wir durch unsere bloße Anwesenheit einige ihrer Domänen entweihen.

Unser Alltag in Suleimania oszilliert zwischen privaten Dramen und großer Politik. Privates und Politisches greifen Hand in Hand, die kleinen und großen Szenen unserer Frauen-WG entfalten sich vor der historischen Kulisse Iraks auf der Scheide zwischen Demokratie und Anarchie.

Die Besetzung der Wohngemeinschaft hat im Lauf eines Jahres mehrmals gewechselt. Immer wieder neue Nationalitäten, Temperamente und Religionen prallen aufeinander. Völkerverständigung und Kampf der Kulturen, in der Villa haben wir beides unter einem Dach, und wenn wir morgens aufstehen, wissen wir nie genau, was an diesem Tag überwiegen wird. Als Anfang 2006 ein Dutzend Karikaturen in einer kleinen dänischen Tageszeitung eine Kluft zwischen dem säkularen Europa und Teilen der islamischen Welt offenlegt, bleibt auch unsere kleine Gemeinschaft davon nicht verschont.

Wären wir zu Hause, in New York, Hamburg, Hawaii oder Bagdad, je Freunde geworden? Kaum. Zu unterschiedlich waren unsere Welten, waren unsere Leben bis zu jenem Tag, an dem wir in der Villa am Rande des Wahnsinns ein gemeinsames begonnen haben. Daß wir alle neu in der Stadt sind, fern von langjährigen Freunden und Familie, hilft – genauso wie die konservative kurdische Außenwelt. Allein daß wir Werte und Freiheitsansprüche teilen, macht uns Frauen, trotz aller Verschiedenheit, zur verschworenen Gemeinschaft.

Denn die Welt draußen vor unserer Tür ist viel fremder, als wir es uns je sein könnten. Auch davon erzählt dieses Buch: von Freundschaft in der Fremde, von Freundinnen, die ich nie gefunden hätte, wenn ich zu Hause geblieben wäre.

FRÜHLING

Die Villa am Rande des Wahnsinns

Als ich im März 2005 nach Suleimania aufbrach, fühlte ich mich gut gerüstet. Ich hatte, als Reporterin für deutsche Zeitungen und Magazine, bereits acht Monate im Irak verbracht. Ich hatte in Bagdad gelebt, das viel gefährlicher ist als der kurdische Nordirak, wo ich diesmal wohnen würde. Ich war mit einem 16 Jahre alten Passat Kombi bis nach Basra am Persischen Golf gereist, hatte Städte wie Mosul, Beidschi und Tikrit besucht, die für Ausländer längst lebensgefährlich geworden sind. Mein Arbeitgeber *IWPR* hatte mich außerdem in ein Seminar »Überleben in feindlicher Umgebung« geschickt. Professionelle Vorbereitung auf das Krisengebiet:

Im idyllischen Grün walisischer Hügel lernte ich, wie ich möglichst unbeschadet weniger liebliche Weltgegenden überstehe. Meine Lehrer waren Exsoldaten, die in Ruanda, Bosnien, Afghanistan und Irak tief ins Herz der Finsternis geblickt hatten; mein Lehrbuch glich einer Handreichung für »Apocalypse now«: Wie stille ich eine Arterienblutung? Wie überlebe ich ein Minenfeld? Wie weit schießt eine Kalaschnikow, ein Scharfschützengewehr, ein Granatwerfer?

Auf kriegsähnliche Zustände also war ich vorbereitet. Nicht aber auf das Leben, das mich erwartete.

Vielleicht ist es ein Fehler gewesen, in die Villa zu ziehen. So schlecht hatten wir es im Hotel »Ashti« gar nicht getroffen. Die Zimmer mit roten Samtvorhängen sind zwar plüschig, aber gemütlich, wir hatten jede unser eigenes Bad und unseren eigenen Fernseher und eine immer mit Keksen, Schokolade und Fruchtsäften gefüllte Minibar. Der Krämer im Erdgeschoß führt eine Auswahl guter libanesischer Rotweine, das Essen beim Chinesen im ersten Stock ist leidlich genießbar, und Kate, die leicht durchgeknallte Chinesin, die das Lokal managt, informierte uns zuverlässig über den jüngsten Tratsch: ob neue Ausländer angekommen sind, wer bereits mit wem gespeist habe und wer vermutlich noch komme. Daß sie die anderen Gäste über uns genauso auf dem laufenden gehalten hat, dämmerte uns erst allmählich; Indiskretion ist ihr bestes Geschäft.

Meine Kolleginnen Gina und Ava lebten so seit vier Monaten aus dem Koffer, Jessica und Shannon wohnten seit vier beziehungsweise sechs Wochen im Hotel. Ich war erst eine Woche zuvor dazugekommen – und hatte von Anfang an auf Umzug gedrängt.

Nicht daß ich grundsätzlich etwas gegen Hotels hätte. Nur gegen solche, die hohe Preise mit schlechtem Service kombinieren, im Irak leider die Regel.

Nach zwei Tagen nervten mich die Frühstückskellner, die

lieber in Kleingruppen schwätzten, statt den Tee zu bringen. Nach drei Tagen störten mich die lüsternen Blicke der zur Wache abgestellten Soldaten vor dem Hoteleingang.

Es gibt schlimmere Hotels als das Ashti. Doch bei dem Gedanken, fünfzehn Quadratmeter voll roten Plüschs könnten für Monate mein einziger Rückzugsort sein, gruselte es mir.

Ich wollte ein Zuhause.

In der Villa, schwärmte ich den anderen vor, würden wir Privatsphäre haben. Eine Küche. Einen Garten. Internet im Zimmer. Keine arbeitsscheuen Kellner. Keine neugierigen Zimmermädchen. Nur wir und ein ganzes Haus für uns.

Mein Loblied verfing nicht. Die vier fanden immer neue Gründe, warum wir noch nicht umziehen könnten: Wände müßten noch gestrichen werden. Ein Bad sei nicht fertig. Der Dienstplan für unsere Wachen nicht ausgefeilt. Die Macht der Gewohnheit ließ grüßen: Gina, Ava, Jessica und Shannon hatten sich im Hotel Ashti eingelebt, hatten dort ihr Nest in der Fremde gebaut und scheuten nun die Veränderung.

Vielleicht fürchteten sie auch die Wohngemeinschaft. Die erzwungene Nähe, die die Villa mit sich bringen würde. Ein Hotel ist darauf ausgerichtet, daß Fremde miteinander oder vielmehr nebeneinander wohnen. Das Haus, in das wir ziehen würden, war dies nicht. Wir würden eine Küche teilen, einen Fernseher und einen Kühlschrank. Nicht zu vergessen die Bäder. Wir würden gegenseitig unsere Eß- und Schlafgewohnheiten kennen, wissen, wer Faltencreme und wer Anti-Cellulitislotion benutzt, und viele andere intime Details.

Bislang wußten wir voneinander wenig mehr als unsere Namen und gerade noch, woher wir kamen: Australien, Südkorea, USA, Deutschland und Irak.

Daß wir alle Journalistinnen waren und für dieselbe Organisation arbeiteten, mußte nicht zwangsläufig bedeuten, daß wir uns nach Büroschluß viel zu sagen hätten. Oder uns gern morgens auf dem Weg zur Dusche über den Weg liefen. So oder so war mir klar: Wenn wir nicht bald umzögen, blieben wir im Hotel. Was für fünf Frauen nicht nur von Nachteil gewesen wäre. Aber das fanden wir erst später heraus.

Die Entscheidung wurde uns unerwartet aus der Hand genommen: von der Buchhaltung in unserer Londoner Zentrale. Warum wir immer noch im Hotel wohnten, obwohl seit mehreren Monaten Miete für das für uns vorgesehene Haus gezahlt werde?

Einen Tag später räumten wir unsere Zimmer im Hotel Ashti und zogen in die »Villa eins«, das Wohn- und Trainingshaus von *IWPR*.

Den schönen Namen verdankt der nüchterne Betonbau Dana, unserem Mann für Logistik. Für die einfachere Verständigung über kaputte Glühbirnen oder zu reparierende Toiletten hat er unser Wohnhaus »Villa eins« und das Bürohaus 50 Meter weiter »Villa zwei« getauft. Mit einer Villa aber besitzt das dreistöckige Haus soviel Ähnlichkeit wie eine Dorfkirche aus den 70er Jahren mit einer Kathedrale. Durch einen kleinen Garten gelangt man ins Erdgeschoß des Hauses. Links vom Flur liegt das Klassenzimmer, rechts der Computerraum für unsere Studenten. Eine Treppe führt in die Privaträume in den oberen Etagen. Wir wohnen also in beziehungsweise über der Schule. Fast wie im Mädchenpensionat.

Im ersten Stock: die Küche, drei Schlafzimmer, zwei Bäder. Und das Wohnzimmer mit der gelben Couch. Die hat Ava ausgesucht, die Irakerin unter uns. Eigentlich ist sie Künstlerin, verwaltet aber unsere Finanzen. Anfangs amüsierten wir uns über das edle Sitzmöbel, das sie wer weiß wo in Suleimania aufgetrieben hat. Die ortsüblichen Modelle sind eher braun geblümt und klobig.

Da wußten wir noch nicht, wieviel Zeit wir auf der gelben Couch verbringen würden.

Zwei weitere Schlafzimmer liegen im obersten Stock sowie ein drittes Bad. Nachdem die WG-üblichen Querelen um die Verteilung der Zimmer ausgestanden waren und wir uns geeinigt hatten, wer mit wem welches Badezimmer teilt, befand Jessica : »Jetzt bin ich doch froh, aus dem Hotel rauszusein. Immer überall nur Männer. Hier haben wir ein richtiges Frauenreich.«

Gina, Ava und ich stimmen zu, darüber sind wir alle froh. Wie sollten wir auch ahnen, daß uns genau das in den Augen unserer neuen Nachbarn suspekt macht?

Fünf Frauen allein, soll heißen: ohne Mann in einem Haus, das hat es in Suleimania, ja in ganz Kurdistan vermutlich noch nie gegeben. Immer findet sich irgendein Bruder, Onkel, Cousin, Schwager oder Schwiegervater, der auf die Töchter, Schwestern, Frauen aufpaßt, wenn der Vater oder der Ehemann gestorben, verschwunden oder vorübergehend abwesend ist. Eine Wohngemeinschaft berufstätiger, überwiegend unverheirateter Frauen? Im kurdischen Welt- und Stadtbild nicht vorgesehen.

Frauen allein zu Hause, das kann doch nur Ärger geben.

Aber noch wissen wir vom Skandalpotential unseres Daseins nichts. Sondern fühlen uns ganz harmlos und häuslich. Shannon, die Australierin, verschwindet in ihrem Zimmer im zweiten Stock, wir anderen inspizieren die Küche, um zu sehen, was fehlt, und ziehen los zum Bazar. Für Stunden verlieren wir uns im Geflecht enger Gassen, das die Altstadt von Suleimania durchzieht. Erst mit der Zeit durchschauen wir das System dahinter, können wir uns merken, wo der Honigmarkt, wo die Metzger, wo die Gemüsehändler sind.

Wir lassen uns treiben, hören dem Geschrei der Händler zu, ziehen vorbei an kunstvoll aufgetürmten Tomaten und Orangen und Bergen frischer Kräuter, bestaunen die Auslagen der Goldschmiede, kosten iranische Pistazien und irakische Datteln und lehnen dankend ab, als ein Saftverkäufer uns einladen will auf einen froschgrünen Obsttrunk. Mit Kochtöpfen, Gewürzen und frischen Lebensmitteln beladen kehren wir in die Villa zurück und essen an diesem lauen Frühlingsabend auf dem Balkon das erste von vielen gemeinsamen Gemüsecurries.

Der Beginn einer außergewöhnlichen Wohngemeinschaft.

»Ladies, das ist jetzt unser Zuhause«, sagt Gina. »Darauf sollten wir anstoßen.«

Sie flitzt in die Küche und holt eine Flasche Gin aus dem Tiefkühlfach. Soviel habe ich in der einen gemeinsamen Woche im Hotel schon mitbekommen: Gina, 30 Jahre alt, ist zwar die kleinste und zierlichste von uns allen, doch sie kann essen und trinken wie ein Hüne. Noch nie zuvor habe ich eine Frau getroffen, die so hemmungslos Junk-Food ißt, die bedenkenlos Hamburger, Schokoriegel und Chips verzehrt – und das ohne sichtbare Folgen. Kein Speck, keine Falte, kein Pickel, nie strähniges Haar. Selbst nach einer heftig durchzechten Nacht sieht sie wie die Königin der Frische aus, und das eine Minute nach dem Aufstehen. Wie eine Figur aus einer Computeranimation. Südkoreas Antwort auf Lara Croft. »Ich habe bestimmt irgendwelche seltsamen Gene von meinen südkoreanischen Vorfahren geerbt«, scherzt Gina, die in Seoul geboren wurde. Als sie zwei Jahre alt war, wanderte die Familie in die USA aus. »Vielleicht fehlen mir die Enzyme, die Alkohol und Schokolade so zerlegen, daß der Körper sie aufnehmen kann.«

»Beneidenswert«, seufzt Jessica, selbst eher zierlich. »Wenn ich so äße wie du, sähe ich aus wie ein Mops.« Weshalb sie stets bemüht ist, Schokolade, Weißbrot und Nudeln aus dem Weg zu gehen. Obwohl ich Jessica erst vor wenigen Tagen getroffen habe, kommt sie mir schon sehr vertraut vor: eine typische New Yorkerin, wie ich sie aus zahllosen Woody-

Allen-Filmen kenne. Liebenswert, leicht neurotisch, Vegetarierin. Sie ist 32 Jahre alt, ißt fast nur Vollwertkost, praktiziert leidenschaftlich Yoga und kann über die Arbeitslosenstatistik von Simbabwe genauso ergriffen diskutieren wie über die angesagtesten Boutiquen von Brooklyn. Obwohl erst wenige Wochen hier, hat sie bereits den einzigen Yogakurs in der Stadt ausfindig gemacht. Und, am Vorabend des Umzugs, angeboten, uns künftig in der Villa in Yoga zu unterrichten.

Von der Salemstraße, der Hauptverkehrsader der Stadt, wehen Musikfetzen zu uns auf den Balkon. Dazu Autohupen und Sprechchöre, die »*Mam Dschalal!*« skandieren. »Die feiern immer noch, hört ihr das?« frage ich.

In den Tagen unseres Umzugs ist Suleimania wie im Rausch, eine Stadt im kollektiven Freudentaumel. Soldaten tanzen auf der Straße, Männer in Tarnuniformen und Militärstiefeln nehmen einander bei der Hand, laufen im Kreis und zucken rhythmisch mit den Schultern. Überall formen Menschen spontan Tanzgruppen, Eltern ziehen ihren Kindern bunt funkelnde Kleider an, Frauen putzen sich heraus wie zu einer Hochzeit, und alle schwenken kurdische Fahnen. Ein Verkehrspolizist, machtlos gegen den Ansturm der Massen, steigt schließlich von seiner Verkehrsinsel herunter, hakt sich bei den Soldaten unter und tanzt mit. Der Verkehr kommt völlig zum Erliegen, doch niemand stört sich daran. Denn *Mam* oder Onkel Dschalal ist neuer irakischer Präsident. Ein Kurde! Ihr Kurde! Dschalal Talabani, ihr großer Held und Führer, Freiheitskämpfer seit den 1950er Jahren, ist am 6. April 2005 vom Parlament in Bagdad ins höchste Staatsamt gewählt worden.

Wir haben die Zeremonie mit unseren kurdischen Kollegen im Büro live am Fernseher verfolgt. Als die Stimmen ausgezählt sind, klatschen alle und gratulieren sich gegenseitig. »Heute fühle ich mich als Iraker, mehr als je zuvor«, sagt Hadi, ein sensibler Übersetzer, der sonst nicht zu öffentlichen

Gefühlsbekundungen neigt. »Trotzdem wünsche ich mir, daß ich eines Tages einen Reisepaß brauche, um nach Bagdad zu fahren«, meint Mahdi, unser Fahrer. So sehr die politischen Führer der Kurden ihr Bekenntnis zur irakischen Einheit beteuern – der Wunsch nach einem unabhängigen Kurdistan ist im Norden so allgegenwärtig wie das Porträt Talabanis. »Ich hoffe, daß Saddam in seiner Zelle heute ebenfalls Fernsehen guckt«, meint Alan, der weltlichste unserer Übersetzer, und holt sich erst einmal ein Bier aus der Küche. Anschließend essen wir zur Feier des Tages gemeinsam Truthahn – das Lieblingsessen von *Mam* Dschalal.

»Auf unser neues Zuhause!« prosten wir uns abends mit Gin auf unserem kleinen Balkon in der Villa zu. »Und auf ein neues Kapitel in der irakischen Geschichte.«

Gina nimmt einen kräftigen Schluck, Jessica nippt an ihrem Glas, und ich denke an einen anderen historischen Tag, den ich im Irak erlebt habe. Als der Ex-Präsident Saddam Hussein im Dezember 2003 bärtig und verzottelt aus einem Erdloch bei Tikrit gezogen wurde, wohnte ich in Bagdad und erlebte dort die geteilte Reaktion auf seine Verhaftung. Ich sah Freudentränen, aber auch Tränen der Verzweiflung. Am Tag der Wahl des neuen Präsidenten sehe ich, zumindest in Suleimania, keinerlei Zweideutigkeit. Überall nur Freude.

Daß diese Phase der Hoffnung, wie so oft in diesem Land, kurzlebig sein wird, ist an diesem Abend nur eine leise Ahnung.

Vielleicht feiern die Kurden deshalb drei Tage lang: weil niemand weiß, wann es das nächste Mal etwas zu feiern gibt. Egal, was danach kommt, für die Kurden ist die Wahl Talabanis ein Lichtblick in ihrer an dunklen Momenten so reichen Geschichte. Und für uns ist es ein guter Tag, ein neues Zuhause zu beziehen.

Einen Kebab auf die Rechte der Frau!

Im Vergleich zu Bagdad kommt mir Suleimania vor wie das reinste Erholungsparadies. Nirgends Straßensperren mit Warnschildern »Achtung, der Gebrauch tödlicher Schußwaffen ist autorisiert!«. Amerikanische Panzer fahren nur gelegentlich durch die Stadt, und auch die in Bagdad epidemisch zunehmenden privaten Personenschützer der Marke Rambo mit Gewehr im Anschlag und dem »Geh mir aus dem Weg oder ich schieße«-Blick sehen wir nur selten. An jeder Kreuzung regelt ein Polizist den Verkehr, und es werden sogar Geldbußen für das Nichtanlegen des Sicherheitsgurtes und für Falschparken verhängt.

Beinahe eine normale Stadt.

Mit einer Ausnahme: Die Frauen fehlen.

Natürlich gibt es in einer Stadt mit 700 000 bis 800 000 Einwohnern Frauen. Sie sind auch auf der Straße zu sehen, im Bazar, in den Schulen, in der Universität. Die meisten tragen nicht einmal Kopftuch.

Und doch haben wir, sobald wir ausgehen, den Eindruck, allein unter Männern zu sein.

Es dauert eine Weile, bis wir verstehen warum.

Der offensichtlichste Grund: Frauen sind im öffentlichen Leben radikal in der Minderheit. Die Welt jenseits unserer Villa ist quasi das Umkehrbild unseres Frauenreichs: Männer überall und immer in der Überzahl. Der Partyfeger »*It's raining men*« ist in diesem Teil der Welt bestimmt kein Hit, schießt es mir bei jedem Spaziergang durch den Kopf.

Etwa auf dem Weg zu Zagros, dem größten Supermarkt der Stadt: Laufe ich an einem beliebigen Nachmittag die anderthalb Kilometer dorthin immer der Hauptstraße entlang, sehe ich unterwegs, grob geschätzt, 28 Frauen und 467 Männer. Von den 28 Frauen hat die Hälfte einen Mann an ihrer Seite. Die andere Hälfte kommt überwiegend in Dreier- oder Vierergrüppchen; nur vier oder fünf Frauen sind wie ich allein unterwegs.

Nach Einbruch der Dunkelheit verschwindet diese ohnehin rare Spezies ganz.

Freundinnen, die am Abend gemeinsam essen gehen? Das tut niemand außer uns. Und doch ist da noch etwas anderes, das mich selbst dann, wenn Frauen anwesend sind, diese nicht wirklich wahrnehmen läßt. Erst nachdem ich viele Male durch die Stadt gelaufen bin und Männer und Frauen wieder und wieder beobachtet habe, komme ich dahinter. Und begreife seitdem, warum auch ich ein gewisses Unbehagen spüre, wenn ich allein unterwegs bin. Warum ich in Suleimania nicht mit der gleichen Selbstverständlichkeit zum Supermarkt oder zum Gemüsehändler um die Ecke gehe wie in Hamburg oder in Berlin, sondern stets von dem Gefühl begleitet bin, etwas Ungewöhnliches, gar Anstößiges zu tun.

Es liegt nicht daran, daß Irak ein gefährliches Land ist und ich Angst vor Entführung oder einem Anschlag hätte. Was das Risiko für Leib und Leben angeht, fühle ich mich in Suleimania an den meisten Tagen nicht sicherer oder unsicherer als in Deutschland.

Es ist die Art, wie Frauen sich hier in der Öffentlichkeit bewegen.

Während die Männer mit der Unerschütterlichkeit derer, denen die Straße gehört, schreiten, schlendern oder breitbeinig und rauchend vor den Teestuben verweilen, eilen Frauen schnurstracks von A nach B. Drücken sich an den Häuserwänden entlang, statt in der Mitte des Gehwegs zu laufen, und lassen ihren Blick nicht offen schweifen, ob sie vielleicht irgendwo ein bekanntes Gesicht für ein Schwätzchen entdecken. Sie huschen über den Bürgersteig, als sei ihr Aufenthaltsrecht nur geliehen. Weil ihr eigentlicher Bestimmungsort woanders liegt. Sobald es dunkel wird sowieso. Wenn die Sonne untergeht, bleiben die Männer in Kurdistan unter sich und die Frauen daheim.

Unsere Verwunderung darüber ist allmählichem Verstehen gewichen. Ein volles Restaurant zu betreten und zu spüren, wie jeder im Raum einen mustert und wer weiß was denkt oder zu seinem Tischnachbarn sagt: Das ist nicht angenehm.

Trotzdem können wir Großstadtfrauen aus dem Westen nicht Abend für Abend zu Hause bleiben. Wir verbringen schon den ganzen Tag miteinander im Büro, wohin unser Weg nach dem Umzug noch genau drei Minuten dauert: in der Villa eins die Treppe hinunter, durchs Tor am Wächter vorbei, 50 Meter nach links, am anderen Wächter vorbei, wieder durchs Tor und fünf Stufen hoch in die Villa zwei.

Abends einfach nur zurückzugehen – wir kämen uns vor wie in einem Frauen-Camp, nicht wie in einer Wohngemeinschaft. Und wenn nicht wir den Anfang machen mit der Eroberung von Männerdomänen, wer dann? Einen Kebab auf die Rechte der Frau!

Gina, Jessica und ich gehen fast immer gemeinsam aus. Ava, die ursprünglich aus Erbil stammt, aber die meiste Zeit ihres Lebens in Bagdad gelebt hat, kommt eher selten mit. »Ich habe noch zu tun«, sagt sie oder »Meine Tante hat mich zum Essen eingeladen.« Daß dies Vorwände sind und in Wahrheit ein Mann hinter ihrer Eigenbrötlerei steckt, werden wir erst sechs Wochen später erfahren.

Es gibt so manches, was wir in unserer Wohngemeinschaft anfangs nicht voneinander wußten.

Und es gibt Dinge, die zwar wir Frauen wissen, aber längst nicht jeder im Büro.

Was würde wohl Ismail, unser Hausmeister aus Bagdad, dazu sagen, daß Ginas Ehemann Brian nicht, wie er annimmt, daheim in den USA auf sie wartet, sondern seit einem Dreivierteljahr als Unteroffizier der *US Army* in Bagdad am Flughafen stationiert ist? An eben jenem Flughafen, an dem Ismail als Oberst der irakischen Armee noch am 8. April 2003, dem letzten Tag vor dem Fall Bagdads, kämpfte? Ein Jahr später, im Mai 2004, war Brian mit seiner Einheit, der *10th Mountain Division*, nach Kuwait und von dort in den Irak aufgebrochen. Er lebt nur fünf Autostunden von unserer Villa entfernt. Oder eine Flugstunde. Und ist für Gina doch so unerreichbar, als lebte er am anderen Ende der Welt. Sie darf nicht nach Bagdad reisen, er nicht nach Suleimania.

Die Welt, von der Brian am Telefon oder in seinen E-Mails spricht, ist eine andere als die, in der Gina, in der wir hier im Norden leben. Bagdad und Suleimania, zwei Städte im selben Land? »Er kann es kaum fassen, wenn ich ihm berichte, wie wir in Restaurants essen gehen oder auf den Bazar zum Einkaufen«, erzählt Gina. Sobald Brian und seine Einheit die Kaserne verlassen, bewegen sie sich in Feindesland. »Immer warten wir. Warten darauf zu explodieren. Wohin du auch blickst – überall Möglichkeiten, in die Luft zu fliegen. Bomben stecken in toten Hunden und toten Eseln, unter Müllhaufen, in Obstständen und Autos«, wird Brian, im zivilen Leben ebenfalls Journalist, nach seiner Rückkehr in der *New York Times* schreiben. »Ich mag noch den Körper eines jungen Mannes haben, doch mein Herz ist nun das eines Greises.«

Während er unter Gullydeckeln und Brücken nach Bomben sucht, immer in Angst, im falschen Moment zu nah dran zu sein, erklärt 400 Kilometer weiter nördlich seine Frau Gina Irakern die Grundzüge des Journalismus. Zwei Amerikaner im Irak.

Shannon ist seit dem Umzug in die Villa seltsam zurückgezogen. Sie bleibt abends zu Hause und dort fast nur in ihrem Zimmer. Ist es der Kummer über den Tod von Papst Johannes Paul II., der ihr zusetzt?

Um ihn trauert die Welt in diesen Tagen, und Shannon gibt in Suleimania ihr Bestes, den regionalen Mangel an Interesse durch ihre Tränen wettzumachen. Während seines langen Sterbens schaltet sie frenetisch zwischen allen verfügbaren Fernsehkanälen hin und her, um keine Minute seines öffentlichen Ablebens zu verpassen. Als unser Übersetzer Hadi arglos fragt, ob der Papst »katholisch oder evangelisch« gewesen sei, verläßt sie beleidigt das Zimmer. Andererseits: Was weiß sie über die führenden Kleriker der islamischen Welt?

Später habe ich mich manchmal gefragt, ob unsere spärliche Anteilnahme in jenen Tagen der Anfang eines stillen Zerwürfnisses war. Fast kommt es mir vor, als habe sie mir persönlich übelgenommen, daß ausgerechnet ein Deutscher die besten Aussichten hatte, neuer Papst zu werden. Shannons Mutter, in der Ukraine geboren, mußte mit ihren Eltern im Zweiten Weltkrieg erst vor Stalin, dann vor Hitler fliehen und fand nach Jahren in Flüchtlingslagern schließlich in Australien eine neue Heimat. Ihre Großmutter hat Shannon die Geschichte von Flucht und Vertreibung wieder und wieder erzählt, und die Deutschen kamen darin nicht gut weg. Daß mein Vater als junger Soldat im Osten gekämpft hat, erzähle ich ihr nicht. Vielleicht hätte ich es später noch getan. Aber da war sie schon fort.

Ohnehin bekommen wir sie, seit der Papst gestorben ist, kaum noch zu Gesicht. Mit uns essen geht sie schon gar nicht mehr.

Es gibt in der ganzen Stadt knapp eine Handvoll Lokale, die zum Abendessen in Frage kommen, und damit liegt Suleimania im kulinarischen Kurdistan-Ranking schon weit vorn. Billige Garküchen und Straßenimbisse findet man überall, Restaurants aber mit Speisekarte, Tischdecken und Kellnern sind selten.

In Khanakin etwa, drei Stunden südlich von Suleimania, gibt es nicht ein einziges. Wer dort auswärts ißt, gilt als armer Tropf, dem die Frau im Hause fehlt, wie ein nach 30 Jahren aus der Schweiz zurückgekehrter Kurde lernen mußte.

In der ersten Woche nach seiner Rückkehr ging er früh morgens stets erst auf die Jagd und anschließend zum Frühstück in den einzigen Kebab-Imbiß im Ort. Sieben Tage lang schaute sich der Wirt das an. Am achten Tag nahm er ihn beiseite und riet ihm von Mann zu Mann: »Du solltest heiraten! Dann kann deine Frau dir Frühstück machen. Jeden Tag auswärts essen, das taugt doch nichts.« Der kurdische Sinn für Familie ist deutlich ausgeprägter als der fürs Geschäft.

Wenn wir in Suleimania in eines der drei oder vier Restaurants der Stadt gehen, begrüßen die Kellner uns schon als Stammgäste. Allen voran Kate im Chinarestaurant. »Jessiiie! Giiiina! Susssssannna!« ruft sie von oben die Treppe herab, sobald sie uns unten durch die Glastür kommen sieht. Und schickt gleich, für alle im Lokal hörbar, eine Aufzählung der uns bekannten anwesenden Gäste hinterher: »Kawan ist hier und Ian auch, die warten schon auf euch.« Für stille Rendezvous ist der »Dragon« kein guter Tip.

Wir ziehen fast immer in einer größeren Gruppe los, haben uns angewöhnt, männliche Begleiter mitzunehmen, weil das die anzüglichen Blicke reduziert. Wieder keine Frau da außer uns? Egal – solange wir wenigstens einen Mann an unserer Seite haben. Wir können die herrschende Ordnung nicht völlig auf den Kopf stellen. Aber sie ein wenig durcheinanderbringen, das können wir schon.

Gina ist dabei die unerschütterlichste, bestellt, wohin wir auch gehen, ohne Zögern Bier oder Whisky und ignoriert die hochgezogenen Brauen der Kellner. Ich halte mich zunächst zurück, weniger aus Sorge um meinen Ruf als aus praktischen Gründen: Ich mag kein Bier, und der Wein ist in den meisten Restaurants ungenießbar oder unbezahlbar oder beides. Doch habe ich, wenn ich Wasser trinke, bisweilen auf kuriose Art genau jenes Gefühl, das mich beschleicht, wenn ich allein durch die Straßen von Suleimania gehe: daß ich eigentlich nicht hierhergehöre, während die völlig selbstverständlich trinkenden Männer um mich herum das Lokal besitzen. Dabei sind sie doch die Muslime, die eigentlich nicht trinken dürfen. Damit aber nehmen es die meisten Kurden nicht so genau. Es gibt gut sortierte Läden mit Wein, Bier und vor allem mit den von den Einheimischen bevorzugten härteren Sachen wie Arak oder Whisky. Das Trinken an und für sich ist nicht verpönt. Es ist nur eben, wie so vieles hier, Männersache.

Mit einem Wasserglas im Restaurant komme ich mir vor, so absurd und irrational das klingen mag, als drückte ich mich an der Hauswand entlang, um bloß nicht aufzufallen. Als Gegenmittel bestelle ich dann manchmal auch einen Whisky und rauche trotzig eine Zigarette; beides sonst nicht meine Angewohnheit. Nur um zu zeigen: »Seht, ich bin hier. Und ich schäme mich nicht dafür. Ich habe das gleiche Recht wie ihr, hier zu sein.«

Es ist unwahrscheinlich, daß je einer der Männer in den Lokalen die emanzipatorische Botschaft meines Whiskys versteht. Eher kommen sie nach Hause und erzählen ihren daheimgebliebenen Frauen: »Stell dir vor, da war heute eine Frau im Lokal, die hat Whisky getrunken und geraucht. Diese Ausländerinnen! Welche Kurdin würde so etwas tun?« Aber allein das wäre ja schon nicht verkehrt.

Das Reich der Männer, in dem wir leben, bringt mit sich, daß auch unsere Freunde fast ausschließlich Männer sind. Kurdische Freundinnen zu finden wäre schön, doch das erweist sich als gar nicht so leicht. Die meisten Frauen, die wir kennenlernen, sind, obwohl jünger als wir, verheiratet und haben gut zu tun, ihren Wunsch nach Berufstätigkeit mit den Erwartungen an eine gute kurdische Ehefrau zu versöhnen. Haushalt, Küche, die Kinder sowieso, dazu die Bewirtung der oft und zahlreich hereinschneienden Gäste mit Tee und möglichst selbstgemachtem Gebäck sowie die Pflege kranker Angehöriger: »Es sollte ein Gesetz geben, daß die Männer verpflichtet, ihren Frauen im Haushalt zu helfen«, fordert eine meiner Studentinnen, als wir bei einer Kommentarübung über Gleichberechtigung diskutieren. »Unsere Männer rühren zu Hause keinen Finger. Wenn ich von der Arbeit komme, kann ich gleich weitermachen: putzen, kochen, die Kinder versorgen und mich um seine Eltern kümmern.« Für einen heiteren Abend mit uns bleibt da einfach keine Zeit.

Und die, die nicht verheiratet sind, leben bei ihren Eltern. Undenkbar für die meisten, ihre Tochter für einen Abend »zu den Ausländerinnen« gehen zu lassen. Selbst wenn wir niemals in der Öffentlichkeit tränken und uns immer und überall wie Heilige benähmen: Wir sind und bleiben Westlerinnen. Und stehen damit unter Generalverdacht. Wie wir schon bald merken sollen.

Bleiben also die Männer. Unsere Freunde sind eine bunte Schar aus Kollegen und anderen Ausländern, die ebenfalls in Suleimania arbeiten. Zwei Fernmeldeingenieure aus Simbabwe, die seit mehr als einem Jahr im Hotel wohnen und sich selbst, halb im Scherz, halb genervt, »die grünen Männchen« nennen, weil sie als Schwarze auch nach so langer Zeit noch immer wie Außerirdische angestarrt werden.

Ein deutscher Journalist, der mit seinem blauen VW-Bus aus der Heimat angereist ist und stets abenteuerliche Geschichten zu erzählen weiß. Etwa von seiner letzten Fahrt nach Bagdad, als er dort ein paar tausend Dollar abholen mußte, die er im Garten seiner früheren Wohnung vergraben hatte und bei einer eiligen Abreise zurücklassen mußte. Wie aber sich in die Gefahr einer Fahrt nach Bagdad begeben und nicht darin umkommen? »Ganz einfach: Indem ich tat, als sei ich schon tot. Ich bin in einem Sarg gereist.« Auf dem Dach eines Busses lag er in einer Holzkiste, vorgeblich ein im Norden verstorbener Schiit auf dem Weg zum heiligen Friedhof in Nadschaf. Mit Luftloch und Satellitentelefon ausgestattet. Aber nichts zu trinken, »damit ich nicht unterwegs pinkeln mußte«. Und auf die gleiche Art retour, mit dem Geldkoffer im Sarg, diesmal mit der Legende eines im Süden gestorbenen Kurden, der im Familiengrab im Norden beigesetzt werden sollte. »Da behaupte noch mal einer, in den Sarg könne man nichts mitnehmen«, gluckste ich, als er die Geschichte beim Bier zum besten gab.

Zu unseren Freunden zählen außerdem Kawan, ein aus

Schweden zurückgekehrter Kurde, der ein IT-Business betreibt; Ahmed, ein regelmäßig aus Kanada einfliegender Exilkurde, der bei einer Ölfirma beschäftigt ist, und Ian, ein großer blonder Amerikaner, der angeblich an einer Schule arbeitet. So ganz glauben wir das nicht, können uns aber nicht entscheiden, ob wir ihn für einen Missionar halten sollen oder eher für einen CIA-Agenten.

Für den Agenten spricht die Geheimnistuerei bezüglich seiner Arbeit; auch daß er jedesmal in einem anderen Auto kommt, immer bewaffnet ist und verdächtig gut über die Gegend Bescheid weiß.

Für den Missionar einer fundamentalistisch christlichen Organisation spricht, daß wir im Kofferraum eines seiner Autos einmal einen Stapel Bücher mit dem Titel »Jesus war mehr als ein Schreiner« gefunden haben – und daß er mit 26 Jahren noch Jungfrau ist.

»Vermutlich ist er ein Missionar, den die CIA angeheuert hat«, sind wir übereingekommen und haben ihn den »stillen Amerikaner« getauft. Er nimmt es uns nicht übel, geht trotzdem mit uns wandern und, wenn wir männlichen Geleitschutz gegen nervende Blicke brauchen, mit uns essen.

Immer öfter aber bleiben wir auch einfach zu Hause. Kochen reihum aus aller Länder Küchen und tauschen uns über Jobs, Männer und Träume aus. Wenn Jessica von ihrem letzten *boyfriend* erzählt, dem von der Käsetheke im Feinkostladen bei ihr in Brooklyn um die Ecke, wenn Ava klagt, unsere enthaltsame WG sei »das reinste Kloster« und Gina dann seufzt, wie hübsch doch dieser junge blonde Amerikaner sei, mit dem wir manchmal essen gehen, fühle ich mich einen Moment lang wie in meiner privaten Folge von *Sex and the City*. Nur daß draußen vor der Tür nicht New York liegt, sondern Irak.

Je weniger wir ausgehen, desto häufiger nehmen wir uns gegenseitig auf virtuelle Reisen mit. Gina entführt uns nach

New York, wo sie während des ersten Irak-Einsatzes ihres Mannes lebte. In ihren Worten »die perfekte Stadt, um angstvollem Grübeln zu entfliehen«. Was Jessica als gebürtige New Yorkerin sofort bestätigt. Wenn Gina Ablenkung brauchte, zog sie mit Freunden durch hippe Clubs und trank Apfel-Martinis oder lief durch die Straßen von Soho oder durch den Central Park. »Aber irgendwann kam immer der Moment, an dem ich innehielt und mich plötzlich wunderte über das Leben um mich herum. Wie konnten Menschen lachen, tratschen, flirten, während mein Mann Tausende Kilometer entfernt in einen Krieg verwickelt war?«

Jessica erzählt von ihrer Zeit in Uganda und Senegal, wohin sie mit einem Reporter-Stipendium gereist ist. Ava und ich schwärmen von Bagdad, wo sie fast ihr ganzes Leben und ich acht Monate lang gelebt habe. Und wo sie, anders als ich, noch immer hinfährt; auch am bevorstehenden Wochenende will sie wieder los. Als Irakerin, mit dunklem Haar und Arabisch sprechend, kann sie das mit etwas Vorsicht wagen. Man sieht ihr ja nicht an, daß sie für eine britisch-amerikanische Organisation arbeitet. Zwar hat sie sich erst vor einigen Monaten wegen einer Morddrohung aus Bagdad in den Norden zurückgezogen, doch ist sie inzwischen überzeugt, daß sich jemand einen schlechten Scherz mit ihr erlaubt hat; ein zurückgewiesener Verehrer oder jemand, den sie beruflich enttäuscht hat. In Bagdad sind solche Drohungen keine Seltenheit. Es gibt Studenten, die drohen ihren Professoren mit Entführung oder Mord für den Fall, daß sie eine Prüfung nicht bestehen.

Für mich ist Bagdad tabu. Blond, blauäugig, helle Haut und auf mehrere hundert Meter als Europäerin zu erkennen – das Entführungsrisiko wäre zu hoch. Es gibt nichts, was einen solch riskanten Trip rechtfertigt – schon gar nicht mein nostalgischer Wunsch, Bagdad ein Jahr nach meiner Abreise noch einmal zu sehen. Die meisten meiner Freunde sind ohnehin nicht mehr dort, leben als Basketballspieler in Bahrain, als Ingenieur in Dubai oder als Deutschstudent in Berlin. Wer irgend kann, verläßt das Land.

»Grüß mir den Tigris!« bitte ich Ava, einen Hauch Neid in der Stimme. Es ist gut möglich, daß ich Bagdad auf Jahre nicht werde sehen können.

Wer schließlich auf die Idee mit der Party gekommen ist, wissen wir im nachhinein nicht mehr. Alle sind sofort begeistert. Ein neues Haus muß eingeweiht werden.

»Ich mache koreanisches Barbecue«, schlägt Gina vor.

»Und ich deutschen Kartoffelsalat«, sage ich.

»Wir müssen tanzen!« meint Jessica.

Sofort machen wir eine Gästeliste. Kawan, Ian, Erwin, Robert, Satfree, Alan, Ferhad, Mariwan …

«Fällt euch nicht wenigstens eine Frau ein, die wir einladen können?« frage ich.

Ratlos sehen wir uns an.

»Vielleicht bringt Ferhad seine Verlobte mit?«

»Hat Alan nicht eine Schwester?«

Es bleibt dann doch bei den Männern, elf an der Zahl, dazu vier von uns, Gina, Jessica, Shannon und ich. Ava fährt nach Bagdad. Auch Hiwa, unser Boss, ein in London aufgewachsener Iraker, der in der Villa zwei, dem kleinen Bürohaus, wohnt, läßt sich wegen wichtiger Termine entschuldigen.

Die Gäste kommen gegen acht. Erwin und Ian machen sich gleich daran, den Grill auf dem Balkon anzuwerfen für Ginas koreanisches Barbecue. Neben dem Grill haben wir ein Buffet mit deutschem Kartoffelsalat, amerikanischer Pasta und kurdischen Vorspeisen angerichtet. Drinnen im Wohnzimmer baut Kawan seinen Computer mit zwei Lautsprechern auf, rückt das Sofa beiseite und schafft so eine Art Tanzfläche. Wir haben Wein gekauft, einige Gäste haben Bier, andere Whisky besorgt.

Das schönste Mitbringsel aber kommt in Öl: die Mona Lisa vor kurdischem Bergpanorama. Süffisant lächelt sie fortan jedem entgegen, der die Treppe zu uns in die Villa hochsteigt. Schön, rätselhaft und schwer durchschaubar. Wie ihr Vorbild im Louvre. Wie dieses Land.

Es ist eine gelungene Party. Wir essen auf dem Balkon, lachen viel, drinnen hören wir Musik und tanzen ausgelassen. Selbst Shannon. Sie wirbelt ihre langen blonden Haare durch die Luft, unterhält sich mit den Gästen, trinkt Whisky und wirkt gelöst und vergnügt. »Jetzt hat auch sie ihren Frieden mit dem Haus, mit unserer Frauen-WG gemacht«, denken wir erleichtert. Denn auf Dauer gemeinsam arbeiten und wohnen – das geht nur, wenn wir uns halbwegs verstehen. Noch haben wir keine anderen Verbündeten als uns. Und wer weiß, ob wir die je finden werden?

Um zwei Uhr kotzt Kajar, ein 20jähriger Kurde, der als Übersetzer für die US-Armee arbeitet und den einer unserer Freunde mitgebracht hat, still und leise in eine Ecke des Balkons. Er hat, aus Aufregung über die erste Party im Irak seit seiner Ankunft vor acht Monaten, zu schnell zu viel getrunken. Es bleibt der einzige Zwischenfall und Kajar die nächsten zwei Stunden mit einem kalten Waschlappen auf der Stirn in unserer Badewanne.

Um vier Uhr verabschieden sich die letzten Gäste.

Um elf Uhr entdecken wir, daß Shannon fort ist.

Mahdi, unser Fahrer, überbringt mir die Botschaft.

»Shannon reist ab, hast du schon gehört?«

Ich verstehe nicht gleich, da Mahdi, im Englischen nicht so bewandert, die falsche Zeit gebraucht hat.

»Was meinst du? Wann reist sie ab? Und wohin?«

»Sie ist weg. Heute im Morgengrauen. Mit unserem zweiten Fahrer zur Grenze.«

Ich begreife immer noch nicht. »Weg? Wie weg?«

»Abgereist. Nach Hause. Nach Australien.«

Ich renne in ihr Zimmer im zweiten Stock. Ich dachte, sie schliefe noch, nach der langen beziehungsweise kurzen Nacht.

Das Zimmer ist leer. Die Schränke stehen ausgeräumt offen, ein paar Kosmetikflaschen liegen herum, ein kaputter Rucksack, sonst nichts. Alles weg. Ihre Sachen. Sie. Abgereist. Ohne Abschied, einfach fort.

Ich renne die Treppe wieder runter und suche die anderen. »Shannon ist weg. Abgereist. Heute morgen in aller Frühe.«

Jessica kann es nicht nicht fassen. »Deshalb war sie gestern so gut gelaunt. Ich wette, sie hat sich den ganzen Abend unsere überraschten Gesichter vorgestellt.«

»Vielleicht war es auch die Vorfreude auf die Heimreise«, überlege ich.

»Sie muß diesen Ort, muß uns wirklich gehaßt haben, um einfach so zu verschwinden«, wundert sich Gina.

Nur einer wußte von ihren Plänen: Hiwa. Ihn, den Boss, mußte sie einweihen, er hatte ihre Kündigung entgegengenommen und ihre Abreise vorbereitet. Doch mußte er hoch und heilig versprechen, uns kein Wort zu verraten. »Sie sagte, sie wolle keinen Abschied. Ich weiß nicht warum. Sie …« Er verstummt. Scheint abzuwägen, ob er das, was er im Begriff ist zu sagen, wirklich sagen soll. »Das war nicht der Grund für ihre Abreise, aber sie beschwerte sich, einer der Wachleute habe Unterwäsche von ihr von der Leine geklaut.«

Wir sehen uns an, unsicher, ob wir entsetzt oder erheitert sein sollen. Plötzlich wird Jessica rot. Steht auf, läuft in ihr Zimmer und kommt mit einem schwarzen Spitzenslip wieder zurück. »Diesen hier vielleicht?« Sie hält uns das Teil mit spitzen Fingern vor die Nase. »Ich fürchte, in dem Fall bin die Schuldige ich. Meine Wäsche hing auch auf der Leine, und ich habe wohl aus Versehen ein Teil von ihr erwischt. Kann passieren, wenn fünf Frauen in einem Haus wohnen, oder?«

Alle grinsen.

»Was machen wir jetzt damit? Sollen wir ihr das Teil nach Australien hinterherschicken?«

»Schenk es doch einem der Wachleute. Als Erinnerung.«

»Ich finde, Jessica sollte es behalten.«

»Auf gar keinen Fall, bist du verrückt?« Jessica springt auf und rennt zur Mülltonne. »Liebe Shannon, ich wünsche dir eine gute Reise. Und daß du da, wo du als nächstes lebst, glücklicher bist als mit uns.« Der Slip verschwindet zwischen Bananenschalen und Joghurtdosen.

Der zweite, größere Schock aber steht uns noch bevor.

Von Nonnen und Vibratoren

Die E-Mail aus London trifft uns wie ein Blitz aus heiterem Himmel.

Als unser Boss Gina, Jessica und mich in sein Büro bittet, weil er »etwas Wichtiges« mit uns bereden müsse, nehmen wir an, es gehe um die Planung unserer nächsten Kurse. Ich wollte irakische Frauenrechtlerinnen in Pressearbeit schulen, Gina plante einen Kurs für Wirtschaftsjournalisten und Jessica ein Training für Radioreporter. Da ein Teil unserer Studenten aus so entfernten Städten wie Basra, Falludscha und Bagdad zu uns kommt und wir ihre Fahrt- und Hotelkosten übernehmen, brauchen wir Geld aus London. Darauf warten wir seit einer Weile, denn die Überweisungen nach Kurdistan klappen nicht immer reibungslos. Nun, so vermuten wir, ist das Geld wohl endlich da, und wir können mit der Einladung der Studenten beginnen.

Wir haben uns geirrt.

Es gibt kein Geld aus London, sondern eine Moralpredigt.

Eine, die uns völlig unvorbereitet trifft, denn wir sind uns keiner Schuld bewußt. Die uns die Augen öffnet, auf was wir uns da eingelassen haben mit unserem Irak-Engagement, mit unserer Frauen-WG in Kurdistan. Und die uns sehr, sehr wütend macht und uns ernsthaft an die sofortige Abreise denken läßt.

»Ich habe einen Anruf von einem Freund bekommen«, beginnt die Mail, »der zufällig ein hoher Funktionär der PUK in Suleimania ist.« Der Anrufer sei sehr aufgebracht gewesen und habe berichtet von Beschwerden unserer Nachbarn über eine »laute und skandalöse Party«. Eine große Zahl Gäste, »hauptsächlich Männer«, sei bis in die frühen Morgenstunden im Haus gewesen, das in einer ruhigen Wohngegend und zudem in der Nähe des Hauses des Präsidenten liege. »Die Leute hier sind sehr konservativ«, habe der Anrufer gemahnt, »ihr müßt auf die kulturellen Empfindlichkeiten Rücksicht nehmen.«

Hiwa hält inne und sieht uns an. Niemand sagt etwas. Ich glaube, wir hatten alle in etwa dasselbe Gefühl – im falschen Film gelandet zu sein.

Sicher, wir sind laut gewesen. Lauter jedenfalls als sonst. Allerdings ist uns Lärmempfindlichkeit bisher nicht als herausragende Eigenschaft der Kurden aufgefallen. Im Gegenteil. Ständig schreit jemand durch die Gegend, jault ein Motor, dröhnt ein Generator, plärrt irgendwo laut Musik. Kurdische Musik. Macht das den Unterschied? Fällt lauter Hiphop oder Rap aus dem Rahmen und deshalb unangenehm auf?

Noch mehr irritiert uns der Weg, den die nachbarliche Beschwerde – wenn es die denn überhaupt gab – offenbar genommen hat. Statt an die Tür zu klopfen oder eine der Wachen anzusprechen, die rund um die Uhr vor unserem Haus stehen, ist jemand schnurstracks zur Partei gegangen? Wo dann gleich jemand zum Hörer gegriffen und in London angerufen hat, damit man uns offenbar wildgewordene Frauen zur Räson bringt? Was um alles in der Welt hat die Partei damit zu tun? Man stelle sich vor, in Hamburg bemüht jemand den CDU-Landeschef, weil der Nachbar zu laut Geburtstag feiert. Oder gibt es bei der Patriotischen Union Kurdistans ein Politbüro für gute Sitten, von dem ich nichts weiß? Ein Ministerium zur Erhaltung der Tugend und Unterdrückung des Lasters wie einst unter den Taliban in Afghanistan?

Ich spüre Wut in mir aufsteigen. Wir haben uns in einem privaten Haus mit Freunden getroffen, haben gelacht, gegessen, Musik gehört und getanzt. Wir sind keine Teenager, der jüngste Gast ist 20, der älteste 50 und wir um die 30. Und bekommen schuriegelnde Anrufe von der Partei! Ob es ein kurdisches Wort für Privatsphäre gibt? Der Spitzelstaat Saddam Husseins ist demontiert. Der kurdische Überwachungsstaat aber lebt offenbar munter fort.

Es kommt noch schlimmer.

Auf den aus London vorgebrachten Einwand, die Berichte seien womöglich übertrieben gewesen und wir schließlich hier, um Wichtiges, nämlich unabhängigen Journalismus zu lehren, soll der Anrufer in hämisches Gelächter verfallen sein. »Lehren? Was denn lehren? Tanzen und halbnackt auf dem Balkon zu knutschen? Oder den einheimischen Mitarbeitern beibringen, wie man einen Vibrator benutzt?«

Wir sind fassungslos.

Dann das Wort zum Sonntag aus London: die Aufforderung an uns, die Frauen, sich »wie Nonnen« zu benehmen, und an alle männlichen Mitarbeiter, sich Jesus zum Vorbild zu nehmen. Was immer damit genau gemeint sein mag.

»Kannst du das bitte noch mal wiederholen?« bitte ich Hiwa. Jessica bricht in hysterisches Kichern aus. »Halbnackt? Vibrator? Knutschend auf dem Balkon? Ich glaube, ich war auf einer anderen Party, mir muß Wesentliches entgangen sein, kann mir einer erklären, was hier los ist?« Gina ist nicht anzusehen, ob sie wütend ist. »Das ist lächerlich«, sagt sie mit kühler Stimme. »Dir ist hoffentlich klar, daß das alles frei erfunden ist.«

Hiwa ist die ganze Angelegenheit sichtlich unangenehm. Der Engländer in ihm hätte am liebsten alles auf sich beruhen lassen und uns nur den freundschaftlichen Rat gegeben, wenn wir mal wieder Leute einlüden, mit ihnen besser nicht auf dem Balkon zu sitzen, sondern bei geschlossener Tür im Haus zu bleiben.

Der Iraker in ihm aber scheint seinen Landsleuten mehr zu trauen als uns. Oder der Mann in ihm den Männern von der Partei mehr als uns Frauen. Jedenfalls kann er es nicht lassen, bei unserem Übersetzer Alan, der ebenfalls auf der Party gewesen ist, beiläufig nachzuforschen.

»Sag mal Alan, eine Frage: Spielte auf der Party neulich eigentlich ein Vibrator irgendeine Rolle?«

Alan zögert einen Moment, bevor er antwortet: »Klar! Kawan hat einen mitgebracht.«

Hiwa schluckt. »Aha.«

Immerhin, die Selbstverständlichkeit, mit der Alan es zugibt, scheint ihn zu wundern. »Du weißt, was ein Vibrator ist?«

»Natürlich. Das sind doch diese speziellen Lautsprecher für den Computer. Die vibrieren, damit man die Bässe besser hört.«

Danach stellt Hiwa jede weitere Erkundigung ein. Er erwähnt die Party uns gegenüber nie wieder. Wir hingegen können die Sache nicht so schnell vergessen. Wir fühlen uns, als sei unsere gesamte Existenz hier, die Form, wie wir wohnen, die Art, wie wir leben, in den Schmutz gezogen worden. Für die Apparatschiks der Partei, oder wer auch immer tatsächlich hinter dieser merkwürdigen Beschwerde steckt, ist unser Dasein als Frauen allein in einem Haus eine Provokation. Wir haben verstanden. Die Annahme, wir stünden in der Villa weniger unter Beobachtung als im Hotel, hat sich als völlig falsch erwiesen.

»Es ist kurios«, meint Jessica. »In New York kenne ich meine Nachbarn nicht einmal, und hier wissen die, wann ich morgens aufstehe, mit wem ich ausgehe und wann ich nach Hause komme.« Plötzlich können wir der bei uns im allgemeinen beklagten Anonymität neue, positive Seiten abgewinnen. Lieber gar keinen Kontakt mit den Nachbarn als diese Form sozialer Kontrolle! An Ava ist dieser Wirbelsturm vorbeigezogen. Als sie nach dem Wochenende aus Bagdad zurückkommt, ist sie dennoch ganz unserer Meinung: »Hier mußt du es nicht nur deiner Familie recht machen, sondern auch den Nachbarn. Jeder denkt, er dürfe sich einmischen. Und das schlimmste ist: Alle lassen zu, daß sich jeder einmischt.«

Dabei finden wir uns so solide, daß es eigentlich gar keinen Grund gibt, sich einzumischen. Wir sind niemals betrunken, tragen weder kurze Röcke noch tiefe Ausschnitte, sondern immer lange Ärmel und Stoff bis zum Knöchel. Keine Partygirls, nicht auf Affären aus. Gina ist verheiratet, ich seit zwölf Jahren in einer festen Beziehung und Jessica viel zu beschäftigt damit herauszufinden, was sie vom Leben will.

Sind wir naiv gewesen? Haben uns alles zu einfach vorgestellt? Ist es ein Fehler gewesen zu glauben, wir könnten als

Frauen aus dem Westen in den Irak, nach Kurdistan gehen, dort leben, arbeiten, nicht als Missionarinnen des Westens, aber doch ohne zu vergessen oder zu leugnen, wo wir herkommen?

Am meisten ärgert uns die Bodenlosigkeit der Anschuldigungen: beliebig aus der Luft gegriffen. Über uns selbst ärgern wir uns auch, weil wir nichtsdestotrotz nun unser Benehmen in Frage stellen. Obwohl wir nichts, wirklich nichts getan haben, dessen wir uns schämen müßten. Ärgern uns, daß wir nach einem rationalen Kern in irrationalen Vorwürfen suchen, uns immer wieder fragen, »Wie kommen die auf so was? Auf eine Geschichte wie die mit dem Vibrator?«, anstatt den Anruf als das abzutun, was er war: üble Nachrede.

Gerüchte sind noch immer eine mächtige Waffe zur Domestizierung der Frau. Der Vorwurf der sexuellen Freizügigkeit – kaum ein Mittel ist im konservativen Kurdistan besser geeignet, die Glaubwürdigkeit und Integrität einer Frau zu zerstören. Und wir kommen aus dem Westen; was liegt da näher, als uns durch die Behauptung zu diskreditieren, wir hätten uns wie Schlampen benommen?

Womöglich hat der Anruf mit der Party überhaupt nichts zu tun, womöglich hat einer die günstige Gelegenheit genutzt, den ganz andere Motive treiben. Ärgert sich jemand über die deutliche Kritik, die wir in unseren Kursen an der Parteiabhängigkeit der einheimischen Presse üben? Darüber, daß wir mit unseren Studentinnen über Gewalt in der Ehe diskutieren, über die wenig ehrenhaften Ehrenmorde, über die erschreckend hohe Zahl von Frauen, die sich durch Selbstverbrennung töten? Daß die entsprechenden Stellen in der örtlichen Regierung ziemlich genau wissen, was wir in unseren Kursen lehren, bezweifeln wir kaum. Doch wollen wir gar nicht erst anfangen darüber nachzudenken, wer sich woran stören könnte – das wäre der Anfang vom Ende jeder unabhängigen Lehre.

Trotzdem ist uns klar, wir müssen vorsichtiger sein. Nicht mit dem, was wir sagen, sondern mit dem, was wir von uns preisgeben. Keine von uns will künftig auf ein soziales Leben verzichten. Doch wir haben unsere Lektion gelernt. »Mein Rat: Wenn Du es dort aushalten willst, mußt Du beginnen, ein verlogenes Leben zu führen«, schreibt eine gute Freundin von daheim. »Ich mache mir Sorgen – Ihr werdet bald als Teufelinnen betrachtet werden, wenn Ihr nicht übervorsichtig seid. Und eines muß Dir klar sein: Diese Anfeindungen werden nicht aufhören.« Ob mein Freund aus Deutschland nicht mal als »Ehemann« zu Besuch kommen könne, um als »herrischer Pascha sein Eigentum« zu markieren?

Ja, wir werden vorsichtig sein. Wir leben im Land der verschlossenen Türen? Also werden auch wir die Türen schließen. Fangen gleich damit an und lassen den Balkon mit Sichtblenden auskleiden, so daß von außen niemand mehr sehen kann, mit wem wir dort sitzen oder was wir trinken. Wir achten genauer darauf, wem wir was erzählen. Der Gedanke, unter Beobachtung zu stehen, macht uns befangen. Wo sitzen die Spione? Von welchem Nachbarn kam die Beschwerde? Oder hat eine der Wachen gepetzt, daß es etwas lauter und später geworden ist in jener Nacht, und den Rest haben dann frivole Geister auf dem Weg durch die Instanzen dazugedichtet? Wem können wir trauen? Was denken unsere Kollegen wirklich über uns?

Selbst Kate, die chinesische Wirtin, haben wir als Spitzel im Verdacht, schließlich merkt sie sich immer ganz genau, mit wem wir zum Essen kommen. Als das Restaurant im Herbst überraschend geschlossen wird, unken wir: Sie hat eine neue Mission, ist vom Geheimdienst – dem kurdischen? dem chinesischen? – nach Papua-Neuguinea versetzt worden, wo sie schon einmal zwei Jahre lang ein Chinarestaurant betrieben hat.

Plötzlich sorgen wir uns, wer was hinter unserem Rükken über uns redet. Ob die Wachen derbe Witze machen, wenn wir an drei Abenden hintereinander von drei verschiedenen – männlichen – Freunden abgeholt werden. Sie haben, um uns zu beobachten, die Pole-position. »Für die steht fest, daß wir mit jedem Mann, der ins Haus kommt, schlafen«, ist Jessica überzeugt. Auf jeden Fall wissen sie am genauesten über uns Bescheid, haben mit ihrem Gästebuch sogar schriftlich, wer um wieviel Uhr zu uns kommt und wer wann geht. Vier von ihnen wohnen zudem direkt gegenüber, haben uns also selbst dann im Blick, wenn sie nicht im Dienst sind. Ich kann mich nicht entscheiden, ob ich sie eher als Schutz oder als Kontrolle empfinde.

Vom »Leben im Goldfischglas« hat mir vor einer Weile eine amerikanische Kollegin geschrieben, die vor mir hier arbeitete – und wie anstrengend das sei. Jetzt verstehe ich, was sie meinte.

Der Konvertit im Badezimmer

Nach den beiden Beben, der stillen Flucht Shannons und dem Nonnen-Verdikt aus London, kehrt, vorübergehend, Alltag in die Villa ein. Tagsüber unterrichten wir im Erdgeschoß Journalistenschüler oder redigieren in den Büros in der Villa zwei nebenan die Reportagen, die die von uns ausgebildeten Reporter für unseren wöchentlichen Newsletter schreiben. Abends sitzen Ava, Gina, Jessica und ich auf dem durch die Sichtblenden vor nachbarlichen Blicken geschützten Balkon oder im Garten, rauchen Wasserpfeife mit Apfeltabak, trinken libanesischen Rotwein und träumen uns ein Stück französischen Ziegenkäse oder italienischen Pecorino dazu.

Vom Balkon aus können wir die Berge sehen, die Suleimania wie ein Ring umschließen. Hinter den letzten Häusern der Stadt steigen sie an, erst sanft, dann immer schroffer, im kurzen Frühling satt grün, im endlosen Sommer braun und im Winter oft von einer dicken Schneedecke überzogen.

Die Berge, lautet ein kurdisches Sprichwort, sind die einzigen Freunde der Kurden. In die Berge hatten sich immer wieder die *Peschmerga* zurückgezogen: jene dem Namen nach »vor dem Tode stehenden« Freiheitskämpfer, die jahrzehntelang einen zähen Guerillakampf für die kurdische Unabhängigkeit, für die Rechte der Kurden führten. Wann immer ich mit Akram, meinem Lieblingsfahrer, durch die Berge fahre, zeigt er mir Höhlen, in denen sich die *Peschmerga* vor Angriffen der irakischen Luftwaffe versteckten; Dörfer, deren Bewohner ihnen nachts heimlich zu essen gaben, aber auch solche Orte, in denen *Dschasch*, junge Esel, wie die kurdischen Kollaborateure des Saddam-Regimes beschimpft wurden, sie verraten und dafür nicht selten mit dem Leben bezahlt haben. Akram selbst war zwei Jahre *Peschmerga* und ist noch heute stolz darauf. Einmal kam ich ins Büro, als Shirwan, zuständig für unsere Sicherheit, Akram gerade eine Pistole aushändigte für eine bevorstehende Reise mit mir. Ich fragte scherzhaft, ob er damit umgehen könne. Shirwan und Akram lachten. »Wenn es etwas gibt, mit dem kurdische Männer umgehen können, dann sind es Waffen.«

Ein Volk der Kämpfer, zweifellos. Während des Osmanischen Reichs waren die unzugänglichen Bergregionen stets in der Hand kurdischer Stämme geblieben; die Kontrolle des Sultans beschränkte sich auf die Städte, alles weitere mußte er mit den Stammesführern aushandeln. Die Briten erbten diese Form der indirekten Herrschaft durch Bündnisse mit den Aghas und Scheichs. Das ging allerdings unter anderem in Suleimania gründlich schief, wo die Briten 1918 Scheich Mahmud aus der Barzindschi-Familie erst zum Gouverneur Suleimanias, dann eines großen Teils von Kurdistan ernannten.

Scheich Mahmud aber, dessen haushohes Konterfei noch heute den Bazar von Suleimania überblickt, fühlte sich vor allem einem Mann verpflichtet: sich selbst. Im Moment, da die Briten ihm die geliehene Macht wieder zu entziehen suchten, rief er sich zum Herrscher von Kurdistan aus und startete eine – erfolglose – Revolte. Eine von vielen, die das 20. Jahrhundert hindurch von verschiedenen Kurdenführern begonnen und von wechselnden Machthabern in Bagdad immer wieder niedergeschlagen wurden.

Dabei schien es zunächst, als würde die Gründung Iraks auch die Kurden zumindest einer weitreichenden Autonomie näherbringen. Als die Briten im Jahr 1921 aus drei Provinzen der Konkursmasse des Osmanischen Reiches, bewohnt von Hunderten verschiedener Clans und Stämme, die sehr wenig miteinander zu tun hatten, den Kunststaat Irak zimmerten, versprachen sie den Kurden eine eigene Regierung innerhalb der Grenzen dieses Iraks. Eine Delegation des Völkerbundes, 1925 nach Mosul entsandt, sprach die kurdischen Gebiete dem Irak zu unter der Bedingung, daß die Wünsche der Kurden berücksichtigt werden müßten. Im Austausch gegen das Versprechen kultureller und politischer Selbstverwaltung akzeptierten die Kurden ihre Integration in den neuen irakischen Staat.

Was aus dem Versprechen wurde, ist bekannt: nichts. Es folgte Verrat auf Verrat, ein Jahrhundert der Revolten und des Unabhängigkeitskampfes – weshalb viele Kurden bis heute in den Bergen ihre einzigen Freunde sehen.

Mancher macht sich jedoch auch auf die Suche nach neuen Freunden. In der Hoffnung, diese mögen den Kurden eine friedlichere Zukunft bescheren. Eine, in der man sich nicht zum Guerillakampf, sondern zum Wandern in die Berge zurückzieht.

An einem sonnigen Maimorgen erscheint mein Übersetzer Rizgar mit einem mysteriösen Lächeln auf den Lippen und einer ihm sonst fremden Verzückung im Blick zur Arbeit. Er müsse mir etwas erzählen, »aber nicht jetzt, später«, er deutet in Richtung der anderen, die mit uns das Büro teilen.

Ich brenne vor Neugier. Der Mitteilungsdrang meiner kurdischen Kollegen über Privates hält sich sonst in Grenzen. Wenn ich weiß, wer wie viele Kinder hat, ist das schon viel; über die Ehefrauen höre ich so gut wie nichts, nicht einmal die in anderen Ländern üblichen Fotos der Liebsten bekomme ich zu sehen, geschweige denn die Gattin in Fleisch und Blut. Wobei ich mich bisweilen frage, wer eigentlich vor wem versteckt wird: die Ehefrau vor mir oder ich, die blonde Europäerin, vor der Ehefrau. Als ich einmal abends mit dem Chefredakteur einer der örtlichen Wochenzeitungen essen ging (es waren noch acht Kollegen dabei, und wir diskutierten über das geplante neue kurdische Pressegesetz), rief seine Frau irgendwann an. Ob das Treffen noch andauere, oder er schon wieder in der Redaktion sei, wollte sie wissen.

»Nein, ich bin noch im Restaurant, wieso?«

»Ach, nur so. Ich habe die Europäerin gestern bei einem Interview im Fernsehen gesehen. Sie ist sehr hübsch.«

Vielleicht, ging es mir nach dieser Episode durch den Kopf, bekam ich die Frauen meiner Kollegen ja nur deshalb nie zu Gesicht, damit die mich nicht sahen – und ihren Ehemännern Sticheleien über die blonde Vorgesetzte erspart blieben. Ob es wohl kurdische Blondinenwitze gibt?

Heute aber will der Übersetzer Rizgar mich, die Ausländerin, offensichtlich in etwas Privates einweihen. Mich und niemanden sonst. Worüber will er sprechen? Auswanderungspläne? Eine neue Liebe? Das würde er als verheiratetер Mann mir kaum verraten. Eine Krankheit? Nein, dann sähe er nicht so fröhlich aus. Hat er einen neuen, besser bezahlten Job gefunden? Ist in die Partei ein- oder aus ihr ausgetreten? Hat im Lotto gewonnen? Gibt es in Kurdistan überhaupt eine Lotterie?

Ich muß mich gedulden, bis die anderen in die Mittagspause verschwinden und wir allein sind.

»Ich habe mich heute morgen getauft«, eröffnet Rizgar. »Ich bin jetzt Christ!«

Mit allerlei Bekenntnissen habe ich gerechnet. Damit nicht.

Sofort geht mir ein Dutzend Fragen durch den Kopf. Warum? Wer weiß davon? Was sagt seine Frau, seine Familie? Wer hat ihm geholfen, wer ihn zu diesem Schritt motiviert? Vom Islam zum Christentum konvertieren, ist das nicht gefährlich?

Wer sich vom Islam abwendet, gilt als Apostat, als vom Glauben Abgefallener. Eine Sünde, die die Scharia mit dem Tod ahndet. Ein Muslim, der einen Apostaten tötet, macht sich nach Ansicht mancher Rechtsgelehrter nicht einmal des Mordes schuldig, sondern erfüllt nur seine Pflicht.

Aber wie ist das im nicht ganz so religiösen Kurdistan? Gibt es hier eine Art *Islam light*, weniger rigoros und daher nachsichtiger mit Konvertiten? Getrunken wird ja auch bei jeder Gelegenheit gern und viel, gebetet dafür etwas weniger. Aber dem Glauben ganz den Rücken kehren? Das muß selbst hier riskant sein.

»Du meinst, du hast dich taufen *lassen*?« korrigiere ich ihn, da ich von einer Selbsttaufe noch nie gehört habe und annahm, er hätte den Gang seiner Christwerdung falsch übersetzt.

»Nein, ich habe *mich* getauft, allein, zu Hause im Badezimmer. Ich habe mich in der Dusche mit Wasser begossen und die Worte, ›Ich taufe mich im Namen Jesu'‹ gesprochen. Das reicht. Jetzt bin ich Christ.«

»Woher weißt du das?«

»Mein Freund Duncan hat es mir gesagt. Er hat mir auch eine Bibel geschickt und mir per E-Mail zur Taufe gratuliert.«

»Und wer ist Duncan?«

»Ein netter Amerikaner, ich kenne ihn aus dem Internet.«

Christwerdung per Internet: willkommen im modernen Kurdistan!

Rizgar zeigt mir sein Taufzertifikat der *Christadelphian Church*, stolz, als habe er soeben die Aufnahmeprüfung einer Eliteuniversität bestanden. Mit der Urkunde kam ein Glaubensbekenntnis, das er unterschreiben und zurückschicken soll. Gleich die ersten Sätze sagen mir, daß es sich bei Duncans Glaubensgemeinschaft um eine sehr spezielle christliche Kirche handeln muß. »Es gibt nur einen Gott – keine heilige Dreifaltigkeit«, beginnt das Bekenntnis – damit stimmt diese Kirche mit Rizgars bisherigem Glauben schon mal in einem zentralen Punkt überein: Es gibt keinen Gott außer Gott. »Jesus Christus ist der Sohn Gottes, aber nicht Gott selbst. Vor seiner Geburt gab es ihn nicht.«

Das Glaubensbekenntis formuliert viele Punkte erstaunlich konkret; ist es das, womit Duncan Rizgar für sich eingenommen hat? »Ich erkenne, daß mein wahres Problem in meinen Versuchungen und Sünden liegt, und werde gegen sie kämpfen. Ich begreife, daß der Begriff Teufel sich auf diese Hindernisse für meine Rettung bezieht – nicht auf ein wirkliches Monster oder einen Drachen.« Auch für die Zeit nach dem Tod bleiben keine Fragen offen: »Ich weiß, daß ich bewußtlos im Grab liegen werde, bis Jesus mich wieder auferstehen läßt und mich richtet. Ich habe keine unsterbliche Seele. Durch seine Gnade werde ich in sein Königreich aufgenommen, von dem ich glaube, daß es tatsächlich hier auf Erden errichtet werden wird.« Es folgen ein Bekenntnis zur Unauflöslichkeit der Ehe, die Verwerfung von unehelichem Sex und Homosexualität sowie das Versprechen, sich fürderhin in allen Lebenslagen zu fragen: »Was würde Jesus tun?«

Ich weiß nicht recht, was ich sagen soll. Ich habe nur eine Frage: Warum?

»Ich glaube, Christen sind die besseren Freunde für uns Kurden«, sagt Rizgar. »Je länger ich über unsere Geschichte nachgedacht habe, um so mehr kam ich zu dem Schluß: Alles Schlechte in Kurdistan wurzelt im Islam. Unser kompliziertes Verhältnis zum Westen, unsere Rückständigkeit, die ewigen Kriege, einfach alles. Wären wir Christen, hätten wir längst unseren eigenen Staat.«

Die nationale Karte spielen die Missionare im Nordirak ganz bewußt. »Das mußt du dir anhören«, meint Jessica eines Tages ganz aufgeregt, als sie von einem Interview zurückkommt, das sie für die *BBC* mit einer Evangelistin aus Kansas geführt hat, die in Suleimania mehr oder weniger offen missioniert. Die Frau behauptet, von Gott eine klare Botschaft erhalten zu haben: Der »Goliath Islam« stehe kurz vor dem Fall, niedergerungen von »David«, gemeint sind Christen wie sie. Und die Kurden sind in dieser Vision »der Stein in Davids Schleuder«, mit deren Hilfe »Gott dem Islam das Herz herausreißen« werde.

Das sagt sie wörtlich: *»rip the heart out of Islam«*. Jessica und ich schauen uns an. Wir müssen an die Bücher im Kofferraum von Ian, dem »stillen Amerikaner«, denken. »Jesus ist mehr als ein Schreiner.« Plötzlich scheint uns CIA-Agent doch die attraktivere Variante.

Wenn Rizgars amerikanische Internet-Bekanntschaft Duncan ähnlich martialische Pläne mit seinen neu Getauften in Kurdistan verfolgt, wird das mit der Hoffnung auf eine friedlichere Zukunft wieder nichts. Doch sein Missionar scheint weniger von Eroberungsplänen beseelt, es geht ihm um die Anerkennung der Bibel als »Grundlage des Handelns«. Hat Rizgar die Unterwerfung unter ein unfehlbares Buch gegen die unter ein anderes getauscht? Der Absolutheitsanspruch scheint mir ähnlich.

Als durch und durch säkularer Europäerin fällt es mir bisweilen schwer, zu ermessen und zu verstehen, wie wichtig Menschen Religion sein kann. Je mehr Zeit ich in stark religiös geprägten Gesellschaften verbringe, um so eher bin ich geneigt, Menschen wie Uli zuzustimmen, einem befreundeten Fernsehjournalisten, der auf einer gemeinsamen Weihnachtsfeier in Bagdad vor drei Jahren meinte: »Die Menschheit hätte eine ganze Reihe Probleme weniger, wenn sie das für religiöse Gefühle verantwortliche Gen finden und ausschalten könnte.« Oder meinem Freund Karim, Fotograf, halb Belgier, halb Tunesier, mit dem ich einige Male zusammen in Bagdad unterwegs gewesen bin. Er hat seinen ganz eigenen Friedensplan für die arabische Welt: »Mehr Sex. Erlaubt den Menschen mehr Sex, dann wird die Region wie von selbst friedlicher.«

Aber ich habe auch genug Zeit in islamischen Ländern verbracht, um zu wissen, daß ein Leben ohne Religion für die meisten Menschen dort nicht vorstellbar ist. Und ich bin keine Missionarin, weder für noch gegen irgendeine Religion.

Ich muß an meine iranische Freundin Nasreen denken.

Auch sie hat mir vor einiger Zeit offenbart, sie sei zum Christentum übergetreten. Ein Teil ihrer Familie redet deshalb nicht mehr mit ihr, aber sie ist überzeugt: »Das ist mein Weg.« Als ich sie im Februar 2005 kurz vor meinem Aufbruch nach Kurdistan in ihrem kleinen Appartement im Zentrum Teherans besuchte, gestand sie mir: »Ich habe den Islam gründlich satt. Aber wir sind kein Volk der Atheisten. Wir brauchen etwas, woran wir glauben. Ich brauche etwas, woran ich glaube.«

Rizgar in Suleimania geht es ähnlich. So sehr er sich durch die Geschichte seines Volkes, seines Landes, der Region vom Islam auch entfremdet hat: Keine Religion zu haben kommt als Alternative nicht in Betracht.

Beide leben seither mit einem potentiell tödlichen Geheimnis. Rizgar hat von seiner Taufe in der Dusche nicht einmal seiner Frau erzählt. Auch zum Gottesdienst in einer der christlichen Kirchen in Suleimania traut er sich nicht. »Es wäre verdächtig, wenn ich, von dem ja jeder denkt, ich sei Muslim, plötzlich in die Kirche ginge.«

Und so praktiziert er, was für uns im Westen selbstverständlich ist, in der muslimischen Welt jedoch einem Akt der Rebellion gleichkommt: den Glauben als Privatangelegenheit, als Sache zwischen ihm und Gott. Der Taufe in der Dusche folgt das Gebet hinter verschlossener Tür.

Wir reden im Büro nicht oft über Religion. Auch unsere Studenten frage ich, obwohl wir im Unterricht häufig über Islam im Irak und im allgemeinen diskutieren, in der Regel nicht, welcher Glaubensrichtung sie angehören. Meist kann ich trotzdem nach einiger Zeit mit großer Gewißheit sagen, wer Schiit und wer Sunnit ist und wer nur der Form halber Muslim. Familiengeschichten, Herkunft, traditioneller Schmuck und oft schon der Vorname geben mir nach mehr als einem Jahr im Irak genügend Anhaltspunkte.

Ob es ihnen umgekehrt ebenfalls leichtfällt, unseren religiösen Hintergrund zu erahnen?

Direkt gefragt werde ich selten, und wenn doch, sage ich wahrheitsgemäß, daß ich katholisch getauft bin. Das genügt den meisten, und da im Islam das Konzept des Kirchenaustritts nicht vorgesehen ist, erläutere ich meine formale Abkehr von der katholischen Kirche nicht weiter. Auch mit dem Wort Atheistin gehe ich eher sparsam um; irgendwie kommt es mir unangemessen vor, in einem Land, das kurz davor steht, entlang religiöser Fronten in einem Bürgerkrieg zu versinken, über die Existenz oder Nichtexistenz von Gott zu diskutieren.

Gern und häufig erkläre ich hingegen die Begriffe »säkular« und »laizistisch«, über die im Irak, vielleicht überall im Islam, bizarre Vorstellungen kursieren. Immer wieder höre ich Interpretationen wie »libertär«, »freizügig«, »unmoralisch« – wohl weil die Betrachtung der Dinge nach weltlichen Gesichtspunkten und die Trennung von Religion und Staat gemessen am gesamtgesellschaftlichen Ordnungsanspruch des Islams fremd, ja verwerflich erscheinen. Neugierig hören die jungen Journalisten zu: Welche Rolle die Kirche in Deutschland spielt; daß es auch bei uns Parteien gibt, die sich auf religiöse – christliche – Wurzeln berufen; daß es aber keine Staatsreligion gibt und es jedem selbst überlassen ist, ob und was er glaubt.

Irak, urteilen sie dann einhellig, könne niemals ein säkularer Staat werden. »Wir wären schon froh, wenn wir eine säkulare Presse hätten«, meint eine Studentin. »Selbst da mischen sich die Religiösen immer stärker ein, bald gehört jede Zeitung, jeder Sender zu dieser oder jener Richtung.«

Und der Einfluß der Religion wird weiter wachsen. »Im Namen Gottes des Barmherzigen« beginnt die Verfassung, welche die Iraker ein halbes Jahr später in einer Volksabstimmung annehmen werden; viele allerdings, ohne den Inhalt so genau zu kennen. Es folgt ein Koranvers, eine Referenz an das Land des Propheten und das Bekenntnis, »Gottes Recht über uns anzuerkennen«. Wer auch immer im Irak in Zukunft die Gesetze erläßt, ist nicht zu beneiden. Artikel zwei der Verfassung zwingt alle künftigen Parlamentarier in einen schwierigen Spagat. Der Islam wird dort als »grundlegende Quelle des Gesetzes« festgeschrieben, gefolgt von drei sich widersprechenden, wenn nicht gar ausschließenden Bedingungen: Kein Gesetz darf verabschiedet werden, das den Prinzipien des Islams, den Prinzipien der Demokratie oder den Menschenrechten und Grundfreiheiten der Verfassung zuwiderläuft.

Das zu schaffen dürfte so erfolgversprechend sein wie ein Versuch, die Scharia und die 1979 von den Vereinten Nationen verabschiedete »Konvention zur Eliminierung aller Formen von Diskriminierung gegen Frauen« miteinander zu versöhnen.

Mit der Absicht, gar nicht über ihre Religion zu sprechen, ist Jessica in den Irak gekommen. Daß sie als Jüdin überhaupt in den Irak gehen wollte, hielten viele ihrer Freunde schon für verrückt. Hatte nicht Saddam jahrelang die Feindschaft gegenüber Israel zur Staatsdoktrin erhoben, Familien palästinensischer Selbstmordattentäter Dankprämien gezahlt und bei jeder Gelegenheit gegen die »zionistische Weltverschwörung« gezetert?

Den Folgen der permanenten Propaganda begegnet man zumindest weiter im Süden heute noch. Ein befreundeter britischer Journalist hört in Falludscha die Klage, Juden kauften dort alle Häuser auf und trieben die Immobilienpreise ins Unermeßliche. Andernorts heißt es, Juden kämpften in großer Zahl auf Seiten der US-Truppen, und auch bei jenen, die im Irak Geiseln enthaupten, müsse es sich um »Zionisten und andere internationale Geheimdienste« handeln, da Muslime keine Geiseln enthaupten würden.

Wenn Jessica trotz alledem in den Irak gehen wollte, dann durfte sie wenigstens niemandem von ihrer jüdischen Herkunft erzählen. So der Plan.

Sehr weit ist sie damit nicht gekommen. Es fängt damit an, daß sie sich nicht entschließen kann, als was sie sich statt dessen ausgeben soll. Wiedergeborene Christin? Zum Islam Konvertierte? Atheistin? Nichts davon glaubt sie überzeugend vertreten zu können. »Am liebsten würde ich sagen, Kulturjüdin, also der Kultur und Tradition verbunden, aber nicht besonders religiös. Aber läßt sich so etwas überhaupt übersetzen?«

Taucht das Thema im Unterricht auf, weicht sie aus. Und kommt sich unehrlich vor.

Nach ein paar Tagen hält sie das Schweigen nicht länger aus. Ihr Dolmetscher Ayub, ein junger Kurde aus Halabja, ist der erste, dem sie sich anvertraut. Schließlich hat er sie gleich am zweiten Tag nach ihrer Ankunft bei einer Stadtführung durch das alte jüdische Viertel Suleimanias geführt und, wie sie findet, geradezu nostalgisch geklungen, als er vom letzten Juden erzählte, der 1976 die Stadt verließ.

Jessica sagt es Ayub, weil sie das Gefühl hat, wenn sie ihm dieses Detail ihrer Herkunft nicht offenbart, wird sie gar nichts von sich erzählen können. Wie aber dann Tag für Tag Seite an Seite mit jemandem arbeiten? Unsere Dolmetscher sind nicht einfach Kollegen, die unsere Worte ins Arabische oder Kurdische übertragen. Sie werden Freunde, Vertraute – und unsere Augen und Ohren zur Welt um uns herum.

Als nächstes weiht sie Alan ein, beim Chinesen. Alan trinkt gern Whisky, und als er mal wieder sein Glas zum Trinkspruch erhebt, bringt Jessica ihm spontan das hebräische *»Le Chaim«* bei – »auf das Leben«. Alan ist begeistert und reicht das Zitat an seine Freunde weiter. Das Geheimnis ist auf dem Weg in die Welt. Und als Jessica wenig später Heimweh nach einer alten Familientradition plagt, weiß letztlich doch unsere ganze kleine Ersatzfamilie Bescheid.

Vorerst aber besinnt sie sich noch einmal ihres Plans, niemandem zu sagen, daß sie Jüdin ist. Beim *Aseish* etwa, der kurdischen Sicherheitspolizei, wo Ausländer ihre Aufenthaltserlaubnis beantragen müssen.

»Religion?« fragt der Beamte.

»Privat«, sagt Jessica. Auf keinen Fall will sie ein offizielles irakisches Dokument mit dem Hinweis »jüdisch« besitzen. In Kurdistan sind bislang zwar keine Ausländer entführt worden. Trotzdem.

»Privat gibt es nicht«, beharrt der Beamte.

»Meine Religion geht Sie nichts an. Das ist eine Sache zwischen mir und Gott.«

Der Beamte gibt auf. »Religion: keine«, trägt er ein.

»*Le Chaim*« – Auf das Leben!

Heimweh unterliegt für mich den Jahreszeiten. Wo immer in der Welt ich unterwegs bin, den Frühsommer in Deutschland verpasse ich nicht gern. Der erste Spargel, selbstgepflückte Erdbeeren, etwas später Himbeeren und süße Kirschen, so schmeckt Heimat für mich. In Zeiten des globalisierten Obst- und Gemüsehandels vielleicht ein antiquiertes Gefühl. Dazu das Licht der sich dehnenden Tage, das abendliche Stimmengewirr in den Straßencafés; wenn irgend möglich, verbringe ich diese Zeit gern zu Hause. Mein Vertrag als Journalistentrainerin läuft zunächst über drei Monate, April bis Juni 2005. Ohne Verlängerung könnte ich es gerade noch schaffen.

Jessicas Heimwehsaison fällt in die vorletzte Aprilwoche. »Ich vermisse meine Familie«, jammert sie, als wir abends auf dem gelben Sofa sitzen, und stellt sie uns sogleich in liebevollen Miniaturen vor. Die Großmutter, die immerzu fragt, »Was macht das Kind denn in Tüürqoi?« weil die Familie ihr zur Nervenschonung Jessicas Grenzübertritt ins Nachbarland verschwiegen hat. Den strengen Großvater, der kaum einen Mann Jessicas würdig findet. »Sie möchten meine Enkelin? Machen Sie etwas aus sich!« riet er dem Sandwichmacher eines Brooklyner Delikatessengeschäfts beim Abendessen, als Jessica kurz auf der Toilette verschwand. Der eingeschüchterte Verehrer nahm kurz darauf eine Stelle als Chefkoch eines vornehmen Hotels in Singapur an – was für die Karriere förderlich war, aber das Ende der Beziehung zu Jessica. Sie erzählt uns von ihrem innig geliebten Vater, Sohn irisch-katholischer Einwanderer mit historischem Glück: Am 6. Mai 1945 gemustert, war das einzige offizielle Ereignis, welches er als Soldat erlebte, die Feier zum Kriegsende in Manhattan. Und von ihrer Mutter, die sich für Jessica so sehr einen jüdischen Ehemann wünscht, obwohl sie selbst einen Katholiken geheiratet hat und die jüdischen Traditionen weit weniger pflegt als ihre Tochter.

Am kommenden Sonntag würden sie sich alle im Haus ihrer Eltern versammeln, wie jedes Jahr zum Pessachfest. Mir war der Begriff zwar geläufig, aber ohne weitere Details.

»Was genau ist denn das Pessachfest?«

»Die Erinnerung an den Auszug des versklavten Volks Israel aus Ägypten. Dazu zelebrieren wir den *Seder*, ein rituelles Mahl mit spezieller Speisefolge, bei der jede Zutat symbolhaft für ein Element der Exodusgeschichte steht. Wir singen alte Lieder bis spät in die Nacht, erzählen Geschichten von Knechtschaft und Erlösung und …«

Noch bevor sie zu Ende gesprochen hat, geht ihr sichtlich eine Idee durch den Kopf, die sie erst mit sich selbst, dann mit uns berät: Warum nicht einen *Seder* im Irak abhalten?

Es wäre vermutlich der erste in Kurdistan seit Jahrzehnten. Je länger Jessica darüber nachdenkt, desto besser gefällt ihr der Gedanke. Auch wenn kaum noch etwas davon übrig ist, die jüdische Gemeinde Iraks gehört zu den ältesten der Welt. Der Überlieferung nach wurde Abraham, der Urvater der Juden, in der Stadt Ur in Süd-Mesopotamien geboren, also im heutigen Irak. Ist sie hier nicht viel näher an den Wurzeln ihrer Religion als daheim in New York?

Pessach feiern im Irak – die Vorstellung lockt und schreckt sie zugleich. Hatte sie doch ursprünglich vor, ihre Religion ganz zu verschweigen. Und nun ist sie drauf und dran, einen der Höhepunkte ihres religiösen Kalenders zu zelebrieren. »In kleiner Runde«, nimmt sie sich vor. Doch auch daraus wird wieder nichts.

Denn kaum hat sie unserem Boss Hiwa von der Idee erzählt, einem in London aufgewachsenen Kurden, nimmt der Planung, Einladungen und Weinkauf in die Hand. Geburtstag des Propheten Mohammed, Auszug der Juden aus Ägypten, Hiwa ist jeder Anlaß zum Feiern recht. Er läßt sogar ein Pessachlamm schlachten für die Vegetarierin Jessica, das er zur Perfektion mit Knoblauch, Rosmarin und Olivenöl im Ofen schmort.

Am Ende sitzen fast ein Dutzend Gäste am Tisch, Freunde, Mitbewohnerinnen, Kollegen aus sechs Ländern mit fünf verschiedenen Religionen, und feiern Pessach im Irak. Eine Runde, wie sie wohl nur unsere kuriose Wohngemeinschaft zusammenbringt.

Hiwa hat einen langen Tisch im Garten hinter dem Bürohaus so feierlich gedeckt, wie es mit unserem WG-Geschirr geht. Er hat exzellenten, wenn auch vermutlich nicht koscheren libanesischen Rotwein besorgt. Ava kommt zur Feier des Tages ganz in Weiß. »Woher weißt du?« fragt Jessica, ebenfalls in Weiß, gerührt über diese Hommage an die Tradition.

Auf zwei Tabletts hat sie die *Seder*-Teller angerichtet, ein wenig improvisiert, da sie im Bazar nicht alle Zutaten gefunden hat. Hartgekochte Eier als Symbol für die Ausdauer und Überlebensfähigkeit des jüdischen Volks. Petersilie für den Frühling und die Hoffnung auf neues Leben. Kleine Schälchen mit Salzwasser, als Zeichen des Schweißes und der Tränen der jüdischen Sklaven. Eine selbstgemachte braune Paste namens *Charoset* aus geriebenen Äpfeln, Birnen und Walnüssen steht für den Mörtel, aus dem die Juden in Ägypten Ziegelsteine brannten. Radieschen – statt des zu Hause üblichen Meerrettichs – erinnern an ihre bitteren Leiden.

Keiner von uns hat je zuvor an einem *Seder* teilgenommen. Gespannt folgen wir Jessicas Worten und Instruktionen, was wir mit welcher Zutat anstellen sollen. Wir tunken die Petersilie ins Salzwasser, essen symbolischen Mörtel und bittere Radieschen. Vor allem aber trinken wir mit Vergnügen jedes der vier Gläser Wein, die zwischendurch zu erheben sind zum Wohl auf ich weiß nicht mehr genau was.

Vier Kerzen und der blaue Schein des Laptop-Bildschirms sind das einzige Licht im sonst dunklen Garten. Die Erzählung von Flucht, Exil und Erlösung paßt gut an diesen Ort, in diese Runde. Wir sind so vertieft ins Zuhören, daß keiner bemerkt, wie Ginas Telefon klingelt und sie in einer Ecke des Gartens verschwindet.

»Nicht so schnell«, unterbricht Hadi Jessicas Vortrag immer wieder. Der penibelste unserer Übersetzer will alles ganz genau wissen, vor allem, wie das mit Moses war, »den gibt es doch auch bei uns im Koran«, und dann vergleichen in einer warmen Sommernacht im Irak Muslime, Christen und eine Jüdin das Personal ihrer heiligen Schriften. Und sind entzückt ob der vielen Gemeinsamkeiten und Querverbindungen, die sie entdecken. Zwar waren die Bezüge den meisten von uns vage bekannt; sich ihrer in dieser Runde in diesem Land in diesem Augenblick zu vergewissern birgt trotzdem eine besondere Magie.

Die theologische Plauderei gerät ins Schleudern, als Jessica ansetzt, die zehn biblischen Plagen aufzuzählen, die über Ägypten kamen. »Erstens: die Zerstörung von Häusern. Zweitens: das Ausreißen von Olivenbäumen. Drittens: Straßensperren und Kontrollpunkte ...« Irritiert rollt sie mit dem Cursor ihren Bildschirm auf und ab. »Irgend etwas stimmt hier nicht.«

Die *Hagada*, die Textsammlung für das Pessachfest, hatte Jessica aus dem Internet heruntergeladen. Da sie ihre Religion ja eigentlich geheimhalten wollte, hat sie von zu Hause keine mitgebracht. Eine Freundin aus der linksalternativen Szene empfahl ihr eine Webseite, Jessica drückte auf *Download*, speicherte die Datei auf ihrem Laptop und hat sie erst geöffnet, als sie mit uns im Garten sitzt. »Die zehn Plagen der Besatzung Palästinas«, liest sie, »dies scheint eine etwas zeitgemäßere Version zu sein als das Original meiner Großmutter, das wir zu Hause benutzen.« Ihre Augen fliegen über den Bildschirm. »Na gut, warum nicht? Paßt fast besser zu einem *Seder* im Irak als Geschichten von Hagel, Heuschrecken und Froschplagen.«

In dem Moment kehrt Gina an den Tisch zurück. Zum erstenmal, seit ich sie kenne, glaube ich in ihrem ebenmäßigen Gesicht Spuren von Aufwühlung zu entdecken. Ärger? Trauer? Angst? So weit reicht meine Kenntnis ihrer Mimik nicht. Ich warte ein paar Minuten, bevor ich mich über den Tisch beuge und leise frage, ob alles in Ordnung ist.

»Brian hat angerufen.«

Ohne Näheres zu wissen, bin ich erleichtert. Er lebt, soviel steht schon mal fest.

»Sein Truppenführer ist heute getroffen worden, als sie zusammen auf Patrouille waren: Kopfschuß. Sie haben ihn gleich ins Militärhospital geflogen und bringen ihn, wenn er morgen noch lebt, nach Deutschland. Seine Chancen stehen nicht gut.«

»Die Schaffung eines Klimas von Hoffnungslosigkeit und Verzweiflung unter den Palästinensern, das zu immer mehr gewaltsamen Angriffen führt«, liest Jessica aus der Liste der Besatzungsplagen vor.

Ein Scharfschütze hat den Soldaten aus der Deckung eines Appartementhauses ins Visier genommen und ihm eine Kugel über dem linken Ohr ins Hirn gejagt. Wer war der Schütze? Ein Terrorist, der einfach nur töten wollte? Ein Iraker, der, vielleicht für einen verlorenen Sohn, ein zerstörtes Haus, auf Rache sann? Ein Opfer, das zum Täter wurde? Ist der Mann, auf den er geschossen hat, ein Täter? Vermutlich wußte der Schütze nicht mehr über ihn, als daß er ein amerikanischer Soldat ist. Er hätte auch auf den Soldaten hinter ihm zielen können. Das wäre Brian gewesen, Ginas Mann. Wenige Minuten bevor die Kugel traf, hatte ihm sein Kamerad vom bevorstehenden Geburtstag seiner Stieftochter erzählt.

Ich weiß nichts über den Mann. Weiß nicht, warum er Soldat geworden, warum er in den Irak gekommen ist, ob oder unter welchen Umständen er Iraker getötet hat. Ich weiß nur, er ist der Freund des Mannes meiner Mitbewohnerin. Und es hätte genausogut Brian treffen können.

Ich sehe Gina an. Ihr Gesicht ist wieder glatt. Woher diese Kraft zur Beherrschung? Ein Familienerbe? Die Stärke des Einwandererkinds, das sich früh in eine neue Welt fügen mußte und von Haus aus lernte, daß Schicksalsschläge hart, aber nicht das Ende sind? Ginas Großvater wurde 1950 von Nordkoreanern entführt, seither fehlt jede Spur. Die Großmutter lebt seit mehr als 50 Jahren mit der Frage, was aus ihm geworden ist, ob er lebt, tot ist, sie vergessen hat.

Bevor Brian in den Irak ging, haben Gina und er sämtliche Formalitäten besprochen für den Fall, daß er nicht lebend zurückkäme. Wie er beerdigt würde, wem er was vererben will und andere Fragen, die Paare um die 30 sonst eher selten miteinander bereden. Doch Gina ist zu sehr Realistin, um die Möglichkeit seines Todes auszublenden.

Am anderen Ende des Tisches stimmt ein Gast mit seiner Gitarre ein kurdisches Lied an über die Liebe einer Mutter zu ihrem Sohn. Jessica hebt ihr Glas zum letzten Toast des Abends. »*Le Chaim!* Auf das Leben!«

Am nächsten Morgen ruft Brian wieder an. Sein Freund hat die Nacht überlebt, er ist auf dem Weg nach Deutschland. Alles andere bleibt abzuwarten.

Goodbye, my Lover

Von meinem Fenster in der Villa aus sehe ich auf eine rote Leuchtreklame: *Bank of Baghdad*. Ein Anblick, der mich jeden Tag für ein paar Minuten wehmütig stimmt, weil die Stadt, die ich sehr mag, so nah ist und doch so fern. Und weil die Journalistenschüler, die von dort zu uns kommen, von Mal zu Mal schlechtere Nachrichten mitbringen.

Kaum zu glauben, daß Bagdad nur vier Autostunden entfernt liegt. Ich könnte mich morgens ins Taxi setzen und wäre mittags da – und doch wäre es eine Reise in eine andere Welt. Die vergleichsweise gute Sicherheitslage in Suleimania ermöglicht es uns, überhaupt im Irak zu leben und zu arbeiten, ohne uns hinter meterhohen Betonmauern zu verstecken. Hier gibt es so gut wie keine Selbstmordattentate, keine Nachbarschaftsmilizen oder Todesschwadronen. Statt dessen Baustellen und Großprojekte, soweit das Auge reicht. Chinesische Baukolonnen teeren neue Überlandstraßen, Türken ziehen Einkaufszentren hoch, Techniker aus Simbabwe modernisieren das Mobilfunknetz.

Jenseits von Kurdistan versinkt der Irak in Anarchie. Meldungen aus einer beliebigen Woche: 50 Leichen im Tigris gefunden. 19 Polizisten im Sportstadium in Hilla hingerichtet. Elf Soldaten im Helikopter abgeschossen. Auch nach der Regierungsbildung – neuer Ministerpräsident ist der Schiit Ibrahim al-Dschaafari – geht das Töten weiter. Es trifft alle quer durch die Bevölkerung, immer häufiger aber auch gezielt Journalisten. Sechs werden allein im April 2005 ermordet, davon einer in Kirkuk, eine Autostunde von Suleimania entfernt, und einer in Mosul, knapp zwei Stunden Fahrt von uns. Jede Todesnachricht erinnert uns aufs neue daran, wo wir arbeiten und auf welch gefährlichen Beruf wir unsere Studenten vorbereiten. Seit 2003 gilt Irak als gefährlichstes Land für Journalisten; in den knapp drei Jahren seit dem Einmarsch der Amerikaner sind mehr Reporter gestorben als in 20 Kriegsjahren in Vietnam.

So sieht die Wirklichkeit aus, die unsere Studenten erwartet und die sie umgekehrt aus Bagdad, Falludscha, Ramadi oder Basra mitbringen ins Klassenzimmer. Ihr Leben und Arbeiten in einem potentiell tödlichen Umfeld wird Teil unseres Lebens. Wann immer ein Kurs vorüber ist, denke ich bei der Abreise bang, ob ich wohl alle lebend wiedersehe. Wie durch ein Wunder wird es ein ganzes Jahr dauern, bevor die Gewalt das erste Opfer unter unseren Studenten nimmt.

Sicher, es ist ihr freier Wille; die zu uns kommen, haben im vollen Bewußtsein der Gefahr beschlossen, daß sie als Journalisten arbeiten wollen. »Wenn wir es nicht tun, haben die, die uns einschüchtern wollen, doch schon gewonnen«, sagen sie. Und nehmen in Kauf, einer zunehmend bedrohten Spezies anzugehören. Es beeindruckt mich jedesmal tief, welches Risiko sie auf sich zu nehmen bereit sind, und kann mir das nur damit erklären, daß im Irak mittlerweile fast alles gefährlich ist. Wenn selbst ein harmloser Nachtigallverkäufer am hellichten Tag aus seinem Laden entführt und Tage später mit Spuren schwerer Folter tot am Straßenrand abgeladen wird, gibt es irgendwen, der sich sicher fühlen kann?

Aus Angst vor Mord oder Entführung halten viele Reporter ihre Arbeit selbst vor der eigenen Familie geheim. Einer läßt seine Mutter im Glauben, er sei Obstverkäufer und breche jeden Morgen auf zum Bazar, andere schreiben unter falschem Namen.

Journalistenhölle, Journalistenparadies: Kaum ein Land birgt spannendere Geschichten, zugleich ist der Versuch, diese Geschichten zu finden und zu erzählen, nirgendwo sonst so gefährlich. »Ruf mich in einer Stunde an, kann nicht reden«, schreibt Hissam, einer unserer Reporter, per SMS, wenn ich ihn in Bagdad anrufe und er gerade unterwegs ist. Auf offener Straße englisch reden? Könnte tödlich sein.

Ich habe die Stadt seit ziemlich genau zwei Jahren nicht mehr gesehen. Im Mai 2004 sind mein Freund und ich aus Bagdad abgereist. Auf dem Weg in die Türkei machten wir in Suleimania Station. Mein erster Aufenthalt im Garten der Villa zwei, wo wir mit Hiwa, der schon damals irakische Journalisten unterrichtete und leidenschaftlich kochte, im Garten aßen. An jenem Abend entstand die Idee, in den Irak zurückzukommen, nach Suleimania, und dort zu arbeiten, für eine Weile wenigstens, bis irgendwann vielleicht die Reise nach Bagdad wieder möglich war.

Bagdad. Die Leuchtreklame vor meinem Fenster schickt mich auf eine Zeitreise – zurück in den Herbst 2003 und das Frühjahr 2004, als mein Freund, ebenfalls Journalist, und ich am Tigris wohnten. Wir waren mit dem Auto von Hamburg nach Bagdad gefahren, hatten ein halbes Haus im Christenviertel Arasat gemietet und reisten für unsere Reportagen kreuz und quer durchs Land. Schon damals war die Arbeit im Irak gefährlich. Das Risiko schien uns aber noch kalkulierbar. Anfangs bewegte ich mich frei durch die Stadt, zu Fuß, im eigenen Auto mit Hamburger Kennzeichen, im Taxi, ohne Bodyguards, meist mit Übersetzer, bisweilen auch allein. Nach den ersten Entführungen westlicher Ausländer hieß die Devise dann »nicht ohne mein Kopftuch«. Ich ging auf Tauchstation, verschwand unter dem Schultern und Kopf bedeckenden *Hidschab*, bisweilen auch unter der *Abaja*, der irakischen Variante des Ganzkörperschleiers, der bis zu den Füßen reicht.

In Kurdistan ist das auch zwei Jahre später nicht nötig. Hier liegt unsere Insel der Seligen, auf der auch die Studenten vom Kriegsalltag in Bagdad oder Ramadi abschalten können. Ich merke im Lauf des Jahres deutlich, wie sie immer länger brauchen, die Anspannung abzustreifen; manche fallen am ersten Tag in eine Art Erholungskoma. »In Bagdad schlafe ich kaum noch eine Nacht durch, immer wird irgendwo geschossen, oder es jagen Militärjets und Hubschrauber übers Haus«, erzählt Salam, der schon viele unserer Kurse besucht hat. »In Suleimania zu sein ist für uns wie Urlaub.« Hier sei es »so schön normal«: Sie genießen es, auf den Bazar zu gehen, im Restaurant zu essen oder einfach spazierenzufahren, ohne ständig im Rückspiegel zu kontrollieren, ob ihnen jemand folgt, ohne Angst, an der nächsten Kreuzung aus dem Auto gezerrt und als Entführungsopfer in einen Kofferraum geworfen zu werden.

Normalität, das ist ein Luxus, den unsere Studenten in Bagdad schon lange entbehren. Als drei der im Irak verbliebenen 75 Psychiater im Sommer 2005 die Seelenlage der Bagdadis untersuchen, kommen sie auf 90 Prozent, die Symptome von Traumatisierung zeigen: Depression, Schlaf- und Ruhelosigkeit, Gewaltausbrüche. Nur den Fachbegriff des »posttraumatischen Stress-Syndroms« findet Arzt Ali Abdul Razak irreführend: »Wieso posttraumatisch? Das hört doch nie auf hier, das ist ›konstanttraumatisch‹.« Wir merken das daran, daß wir kaum länger als vier Stunden am Stück unterrichten können, dann läßt die Konzentrationsfähigkeit rapide nach. Auch unser Wunsch, die Handys im Klassenzimmer auszuschalten, ist schwer durchzusetzen: Alle wollen zu jeder Zeit für ihre Familien erreichbar sein.

Bagdad, wie es mein Freund und ich gekannt haben, gibt es nicht mehr.

Unser Atlantis.

Ich bekomme einen Anflug von Heimweh und wähle seine Handynummer. »Bitte versuchen Sie es später noch einmal.«

Zum Glück klopft im nächsten Moment Gina an meine Tür. Ob ich mit zum Chinesen komme.

Sie hält es heute abend nicht zu Hause aus. Seit drei Tagen hat sie nichts von Brian gehört und kann ihn auch nicht auf seinem Mobiltelefon erreichen. Das passiert immer wieder mal, denn wenn er auf Patrouille ist, darf er sein Telefon nicht mitnehmen; zu groß wäre die Gefahr, sollte es im falschen Moment klingeln. Sie weiß also, drei Tage Stille müssen nichts bedeuten. Doch bis der entwarnende Anruf kommt, bleibt die Anspannung hoch. Seit dem Vorfall mit Brians Truppenführer ist sie, die stets so Beherrschte, deutlich nervöser als zuvor. Wie oft kann der Tod so nah kommen und doch vorüberziehen? Gibt es einen Vorrat an Glück, und ist der irgendwann erschöpft? Bomben, die zu früh oder gar nicht explodieren, Sprengsätze, die ihr Ziel verfehlen, ein Soldat, der einen eigentlich fatalen Kopfschuß überlebt – Brians Einheit scheint effektive Schutzengel zu haben. Aber mit jedem Fehlschlag wächst die Angst. »Um mich herum ist nur noch Tod und Zerstörung«, hat er ihr vor kurzem geschrieben, »ich ertrage es nicht länger, ich muß hier raus!«

»Klar komme ich mit zum Chinesen! Kate vermißt uns bestimmt schon, so häuslich, wie wir geworden sind. Und mich hungert mal wieder nach E4.« Rindfleisch mit grüner Paprika in Sojasoße, unser einhelliger Favorit im »Dragon«.

Ginas Sorge um Brian vertreibt meine trüben Gedanken sofort. Was ist ein vergeblicher Anruf in Hamburg gegen die Angst, die sie auszustehen hat. Das sage ich mir in den nächsten Tagen jedesmal, wenn ich wieder nur die Mailbox erreiche.

Nach Kates lautem Begrüßungsritual suchen wir uns eine stille Ecke im Lokal. Passenderweise ist keiner unserer Freunde da, wir haben wenig Lust auf Gesellschaft. Wir reden nicht viel, aber ich kann deutlich spüren, wie sehr Gina in Gedanken bei Brian ist.

Ich staune oft, wie gelassen sie zumindest nach außen mit der Angst umgeht. Brians Entschluß, zur Armee zu gehen, hatte Gina überrascht, sie auch wütend gemacht, das hat sie mal angedeutet. Er ist, wie sie, eigentlich Journalist. Sie haben gemeinsam zwei Jahre in Kambodscha gelebt und gearbeitet, danach in Südkorea, Ginas Geburtsland. Nun sind sie wieder gemeinsam im Ausland, aber auf so andere Art. Wie sie damit fertig wird, ist mir ein Rätsel. Nicht allein mit der Angst um Brian. Angst um den Liebsten zu haben, das kenne ich auch, mein Freund ist während des Kriegs im Irak gewesen und verbringt als Reporter viel Zeit in unwirtlichen Gegenden wie Afghanistan, Pakistan oder Algerien. Doch reist er als Beobachter, als Berichterstatter dorthin. Brian aber hat den Stift gegen das Gewehr getauscht, ist nicht mehr Zeuge, sondern Akteur des Kriegs.

Wie erträgt Gina den Gedanken, daß er sehr wahrscheinlich Menschen töten muß? Niemand kann voraussagen, wie ihn das verändern wird. Wie es ihre Gefühle verändern wird, eines Tages tatsächlich im Detail zu hören, was er im Irak erlebt und getan hat.

Nicht erst seit dem Vietnamkrieg wissen wir, daß der Krieg für die meisten Soldaten mit der Heimkehr nicht vorüber ist.

Gut, daß mein Freund mit seinen fast acht Dioptrien für jede Armee der Welt zu kurzsichtig ist, überlege ich.

Gina lebt seit fünf Monaten in Suleimania und denkt immer öfter an die Zeit danach. Sie würde in einem, Brian in zwei Monaten in die USA zurückkehren. Dann wollen sie in den USA noch einmal heiraten – aufwendig, mit vielen Freunden, denn die erste Zeremonie war klein und eilig, bevor Brian gen Irak aufbrach.

Sie würden ihr gemeinsames Leben wieder aufnehmen, doch wie das aussehen wird, weiß sie nicht. Im Moment weiß Gina nicht einmal, wo sie wohnen werden, wenn sie Fort Drum, die Heimat der *10th Mountain Division* im Staat New York, verlassen.

Dort war sie kurz vor dem Ende von Brians erster Dienstzeit hingezogen, von New York City nach Fort Drum, von *Big Apple* in die Vorstadtwelt der *Army Wives.* Sie wartete auf Brian und las »Im Westen nichts Neues«, den Klassiker von Remarque über die Schrecken des Krieges. Ein Kapitel las sie noch und noch einmal. Stand das, was der Ich-Erzähler, ein Soldat des Ersten Weltkriegs, vom Fronturlaub erzählte, auch Brian und ihr bevor? Würde er sich ähnlich sprachlos, ähnlich verloren fühlen wie die Hauptfigur des Romans, dessen Vater immerzu vom Krieg hören wollte?

»Ich begreife, daß er nicht weiß, daß so etwas nicht erzählt werden kann … es ist eine Gefahr für mich, wenn ich diese Dinge in Worte bringe, ich habe Scheu, daß sie dann riesenhaft werden und sich nicht mehr bewältigen lassen. Wo blieben wir, wenn uns alles ganz

klar würde, was da draußen vorgeht … Ich finde mich hier nicht mehr zurecht, es ist eine fremde Welt.«

Das ist vermutlich eines der verbindendsten Elemente unserer Frauen-WG: Wir weilen alle in einer Art Schwebezustand. Eine Zeitkapsel in Kurdistan hat uns vorübergehend aufgenommen und schirmt uns ab gegen alle Belange, alle Fragen von daheim, auf die wir im Moment keine Antwort haben. Wer genau weiß, wo er im Leben stand, geht nicht mal eben für sechs oder zwölf Monate in den Irak.

Ich habe noch nicht entschieden, wie lange ich bleiben will. Ende Mai, in nur wenigen Wochen also, will mein Freund mich besuchen kommen. Dann können wir gemeinsam überlegen, ob ich meinen Vertrag verlängere oder lieber nach Hause komme.

Denke ich.

Denke ich auch noch beim zehnten, zwölften, 20. Versuch, ihn ans Handy zu bekommen.

Und dann denke ich plötzlich gar nichts mehr. Chaos im Kopf, ein Riß im Herzen und über Nacht kein Zuhause mehr. Ein Telefongespräch, und alles ist anders.

Ein Fortgehen auf Zeit: immer auch ein Test für alle Beteiligten. Nach 40 Tagen weiß ich, wir haben nicht bestanden.

40 Tage, was für eine Zahl. Mir, der Kirchenfernen, kommt von irgendwo die biblische Bedeutung von 40 Tagen in den Sinn. Aus längst verwittert geglaubten Sedimenten meiner Jugend taucht religiöses Halbwissen auf. Immer wenn Gott für eine Aufgabe vorbereiten wollte, nahm er sich dafür 40 Tage Zeit. 40 Tage harrte Mose auf dem Berg Sinai aus. 40 Tage mußte das Volk Israel durch die Wüste wandern. 40 Tage lang forderte Goliath David heraus. 40 Tage und 40 Nächte währte der Regen, der die Sintflut brachte. 40 Tage lang wurde Jesus in der Wüste vom Teufel versucht.

40 Tage, und er hat eine andere.

Eine kurze, schlafarme Nacht.

Am nächsten Morgen beginnt mein neuer Kurs, sechs Männer, sechs Frauen, es wird um Grundzüge des Reportageschreibens gehen und darum, wie man die hiesigen Medien dazu bringen kann, mehr und anders über Frauenfragen zu berichten.

Und ich muß eine Entscheidung treffen. Wäre alles noch beim alten, wenn ich nicht hergekommen wäre, oder bin ich auf dem richtigen Weg, nun erst recht, weil ich erst hier erkannt habe, wie fern mir in Wahrheit der ist, dem ich mich am nächsten wähnte?

Was für ein Privileg! Frei von Rollen, Pflichten und Erwartungen in sich horchen und forschen können, was einem wirklich wichtig ist. Der klare Blick aus der Fremde auf sich selbst: Wie oft hält das Leben, wenn man nicht mehr 20 ist, solche vorgeschobenen Lauschposten auf den eigenen inneren Kompaß bereit?

Ich beschließe, vorläufig zumindest, es gut zu finden, hier zu sein.

Frauenfragen also. Ich kann nur hoffen, daß mir niemand eine Frage stellt. Der Art, wie sie mir in meinem letzten Kurs gestellt worden sind: »Wenn es soviel glücklicher macht, sich den Mann selbst auszuwählen, warum ist dann bei euch die Scheidungsrate trotzdem so hoch?«

Wir waren nicht verheiratet, aber nach zwölf Jahren fühlt sich eine Trennung trotzdem wie eine Scheidung an. Gemeinsame Wohnung, Kontovollmachten, Auto, es gilt ein gemeinsames Leben aufzulösen. Wie gut, daß ich weit weg in meiner Zeitkapsel sitze.

Goodbye, my Lover. Goodbye, my Friend. You have been the one. You have been the one for me. And as you move on, remember me. Remember all we used to be. I have seen you cry, I have seen you smile. I have watched you sleeping for a while. Goodbye, my Lover. Goodbye, my Friend.

Mit James Blunt im Ohr komme ich morgens in die Küche. Die erste, die fragt, ist Jessica. Beim Kaffeekochen. »Hast du schlecht geschlafen? Du siehst müde aus.« Ich breche in Tränen aus, und sie nimmt mich spontan in den Arm. Danach trauere ich nicht mehr in Anwesenheit anderer. Kurdistan ist kein guter Ort für öffentlichen Liebeskummer. Auf keinen Fall will ich »die Verlassene« sein oder als Geschiedene gelten. Ich verfluche den Augenblick, in dem ich, im Glauben, die kleine Lüge würde mein Leben als Frau hier leichter machen, hier und da geschwindelt habe, ich sei verheiratet. Ich kann nun schlecht sagen, wir haben uns scheiden lassen, telefonisch.

Doch wie sonst hätte ich mein Leben erklären sollen? Zwölf Jahre ohne Trauschein? Das versteht im Irak kein Mensch. Ich verstand es ja selbst oft nicht. Zu Hause spielte das keine große Rolle, da fragte kaum je einer. Hier dagegen ständig, und nie weiß ich, was ich sagen soll. Jeder Versuch, zu erklären, warum ich nicht verheiratet bin, klingt wie eine Erzählung aus einer fernen, unbekannten Welt. Ein Bericht über etwas, das nicht vorgesehen ist und mir verständnislose bis mitleidsvolle Blicke einträgt. Blicke, die ich im Moment schwer ertragen hätte.

Die einzigen, mit denen ich offen reden mag, sind Jessica und Gina. Aber nicht jetzt. Später. Jetzt warten meine Studenten.

SOMMER

Manchmal muß man Frauen einfach schlagen

Auf der Henri-Nannen-Schule in Hamburg, wo ich meine journalistische Ausbildung erhielt, lernten wir, Nachrichten knapp und verständlich zu halten, das Wichtigste zuerst. Wir übten schwierige Recherchen, Interviews, Kommentare und wurden zu Probereportagen losgeschickt.

Mein Unterricht im Irak sieht ein wenig anders aus.

Natürlich lehren wir das, was als »internationaler Standard des Journalismus« gilt. Den größten Teil des Lehrplans aber schreibt der Alltag unserer Studenten, für die mein Handbuch aus dem Survival-Training wohl die passendste Lektüre wäre.

»Wenn ich jemanden mit einer Schußwunde sehe, kann ich dann ein Foto machen? Oder muß ich erst helfen?« Die junge Frau kommt aus Kalar, einer kleinen Stadt zwei Stunden südlich von Suleimania und mir bislang als eher friedlich bekannt. »Hast du vor dieser Entscheidung denn schon einmal gestanden?« will ich wissen. »Es gab vor kurzem diese Demonstration bei uns, weil die Leute es leid waren, nur vier Stunden am Tag Strom zu haben. Die Polizei schoß, ein Demonstrant fiel zu Boden, und ich rannte mit meiner Kamera hin. Da bat mich der Verletzte, ihm erst ein Taschentuch zu geben, damit er sich das Blut aus dem Gesicht wischen könne – aber wäre das Foto dann noch authentisch gewesen?«

Fragen, die das Leben diktiert. Jede Regel, jede Definition, die ich vortrage, wird von den Studenten sofort in die irakische Wirklichkeit übersetzt. Als Nachricht gilt das, was neu ist, anders, ungewöhnlich? »Dann ist eine Frau, die sich mit Kerosin überschüttet und anzündet, um Selbstmord zu begehen, also keine Nachricht, weil das hier jeden Tag geschieht?« Als es bei einer Übung bunt durcheinandergewürftelte Fakten über eine Explosion zu ordnen gilt – »das Wichtigste zuerst!« –, fängt eine Studentin ihre Meldung an mit einem Esel, der umgekommen ist. Drei getötete Menschen hingegen läßt sie unerwähnt. Auf die Frage nach dem Warum meint sie lakonisch: »Menschen sterben bei uns jeden Tag durch Bomben. Ein toter Esel kommt viel seltener vor.«

Ob es schlimm sei, wenn sie Interviews fast ausschließlich am Telefon führe, will eine Studentin aus Mosul wissen. Aus dem Haus gehe sie nur noch ungern, seit ein Bild von ihr in der Moschee hänge mit dem Aufruf, sie umzubringen – weil sie eine Journalistin und damit eine Spionin sei. Zur Schnittübung im Radiokurs hat sie eine Aufnahme von einer Taxifahrt mitgebracht, bei der sie in die Schußlinie zwischen US-Soldaten und irakischen Aufständischen geriet; mit brüchiger Stimme hört man sie ins Mikrophon hauchen, sie würde sich jetzt langsam aus dem Auto gleiten und zu Boden fallen lassen, um den Kugeln auszuweichen. Ihre Reportertätigkeit aber gibt die Mutter von vier Kindern auch nach einem mißglückten Entführungsversuch und einem Bauchschuß, der sie versehentlich traf, nicht auf.

Die Studenten bringen uns Irak im Kleinformat ins Haus. Und erinnern uns daran, wie fragil und einzigartig unsere friedliche Seifenblase ist. Ein Ort der Begegnung, wie es sie kaum noch gibt im Irak: »Nach jedem Training bei euch«, sagt eine Studentin aus Bagdad, »schöpfe ich Hoffnung, daß wir Iraker doch zusammen leben können.«

Mir fällt es schwer, die Geschichten von Tod und Terror, die ich im Erdgeschoß höre, nicht Abend für Abend ein Stockwerk höher ins Wohnzimmer mitzunehmen. Sie folgen mir auf die gelbe Couch, in die Küche, bis in mein Bett, wo ich, von den neuen Erzählungen aufgewühlt, alte Szenen aus Bagdad träume. Längst versunken geglaubte Bilder aus meinem Reporterleben tauchen wieder auf: von einem Besuch im zentralen Leichenschauhaus, wo der diensthabende Pathologe darauf bestand, mir den Korb mit den nicht zuordbaren Körperteilen zu zeigen; von einem rothaarigen Polizisten, der nach einem Attentat mit einem weißen Sack langsam den Platz der Verwüstung abschritt und die Reste des Selbstmordattentäters aufklaubte; von schwarz vermummten Demonstranten, die am Tag von Saddams Verhaftung plötzlich auf mein Auto zuliefen.

Jede von uns hat ihre eigene Art abzuschalten. Gina geht am liebsten aus, ich schaue mir auf meinem Laptop ein paar Folgen *Desperate Housewives* an, Jessica zieht therapeutisches Kochen vor. An diesem Abend rührt sie gerade ein indisches Linsengericht, als ich vom Unterricht komme. Ich schenke mir ein Glas Rotwein ein, setze mich auf einen der Küchenhocker und sehe ihr beim Kochen zu.

»Hast du den Tag gut überstanden?« fragt sie in Anspielung auf meinen Kurzzusammenbruch am Morgen.

»Geht so. Beinahe hätte ich einen Studenten vor die Tür gesetzt.« Ich spüre, wie sich mir noch in der Erinnerung die Nackenhaare sträuben.

»Wieso? Hat er die falschen Fragen gestellt?« Jessica grinst. »Ob du verheiratet bist oder warum du keine Kinder hast?«

»Nein. Er hat verkündet, Frauen verdienten es manchmal einfach, geschlagen zu werden.«

»Oh.« Über diese Botschaft vergißt sie beinahe ihr Linsengericht. »Und was hast du gesagt?«

»Ich war, wie gesagt, kurz davor, ihn rauszuwerfen, mir blieb fast die Luft weg, der Satz kam völlig unerwartet. Aber dann dachte ich mir, das bringt nichts, und es wäre so klischeehaft: Frau aus dem Westen empört sich über arabischen Mann. Also überließ ich es den Irakern, ihre Meinung zu sagen, schließlich leben sie hier, und Ali ist bestimmt nicht der einzige, der so denkt.«

»Und?«

»Die meisten Männer haben Ali widersprochen: Der Mann müsse versuchen, die Frau mit Worten zu überzeugen, nicht mit der Hand. Schon mal tröstlich, daß keiner den Koran zitiert hat, nach dem Motto, ›Die Männer stehen über den Frauen, weil Gott sie von Natur aus vor diesen ausgezeichnet hat‹ ...«

»Und die Frauen? Haben die ihn nicht in der Luft zerrissen?«

»Nee. Die fanden Schlagen zwar auch falsch. Aber warum? Weil es doch andere Wege gebe, eine Frau zu bestrafen! Einsperren zum Beispiel.« Kopfschüttelnd leere ich mein Weinglas. »Als ich fragte, ›wieso überhaupt bestrafen?‹, haben sie meine Frage gar nicht verstanden.«

Gina kommt in die Küche. »Hey, gehst du mit ins ›Evil‹?« Eigentlich heißt das Restaurant »Eiffel«, wie der Turm, der auf einem Schild am Eingang leuchtet. Doch weil wir sie so hübsch finden, haben wir die lokale Aussprache übernommen: *Evil* – »das Böse«, der beste Name, den wir uns für ein Kebab-Restaurant denken können.

»Heute nicht. Keine Lust auf Männergesichter.«

Ich lasse auch Jessica mit ihren Linsen allein und ziehe mich in mein Zimmer zurück, meine Ruheoase, wenn ich zu erschöpft bin für WG-Gespräche auf der gelben Couch. Ich sinke auf die Kissen meiner orientalischen Sitzecke, stöpsel die Kopfhörer meines iPods ins Ohr und verschwinde bis zum Morgen in meinen Gedanken, die seltsame Schleifen drehen.

Diskussionen wie die über schlagende Männer lassen bei mir eine Melange aus Euphorie und Flauheit zurück. Euphorie, weil ich selten zuvor das Gefühl gehabt habe, etwas so Sinnvolles zu tun wie mit meiner Arbeit hier. Und Flauheit ob der Kluft, die ich spüre zwischen der hiesigen Welt und der Welt, aus der ich komme. Macht das, was ich erzähle, wofür ich stehe, für meine Studenten und vor allem Studentinnen überhaupt Sinn – oder wird es immer »die Haltung der anderen« bleiben, unterhaltsam anzuhören, aber für das eigene Leben irrelevant?

Auf keinen Fall will ich den Eindruck erwecken, ich halte alles im Westen für gut und richtig und alles in der islamischen Welt für chauvinistisch und falsch. Doch ich finde es schwer, gerade wenn es um Frauen geht, die Trennlinie zu ziehen zwischen dem, was ich als Sitten eines anderen Kulturkreises akzeptieren kann und dem, was ich als bloße Unterdrückung empfinde – egal wie sie begründet wird, egal auf welches Buch sich wer beruft.

Sicher, in erster Linie bin ich gekommen, Journalisten auszubilden, ihnen beizubringen, wie sie recherchieren, die richtigen Fragen stellen, unbequem sind und unabhängig. Aber ich bilde nun mal vor allem Frauen aus. Und für die verköpere ich nicht nur ein Berufsbild, sondern die Ahnung von einem anderen Leben.

Frauenthemen! Welch anderen Klang das Wort hier hat als bei uns, als in deutschen Frauenzeitschriften, in *Brigitte*-Dossiers oder Kosmetik-Sonderteilen. Problemzonen liegen hier nicht am Oberschenkel, sondern in der Familie, im Gesetz, in der Gesellschaft. Es geht nicht um drei Kilo zuviel auf den Hüften oder das beste Spargel-Rezept, sondern um das Recht, den Ehemann selbst zu wählen. Um die Angst, durch einen unbedachten Schritt die Familienehre zu beflecken und durch die Hand des eigenen Bruders oder Vaters zu sterben.

Ich habe mich in Deutschland nie als Feministin empfunden, wofür mich hier, im Schatten des Korans, fast ein wenig das Gewissen zwackt. Auf jeden Fall bin ich froh, so viele Frauen in unseren Kursen zu sehen, unter den gegebenen Umständen alles andere als selbstverständlich.

Wegen des hohen Entführungsrisikos können wir Ausländerinnen nicht mehr nach Bagdad oder Basra reisen, auch wäre es fast überall im Land für unsere Studenten zu gefährlich, einen von Ausländern angebotenen Kurs zu besuchen. Das geht nur im sicheren Kurdistan. Also müssen wir die Irakerinnen beziehungsweise ihre Familien oder Ehemänner überzeugen, die Frauen für zwei, drei Wochen nach Suleimania reisen zu lassen. Das aber steht, anders als unsere eigene Erfahrung vermuten läßt, im Ruf, die liberalste Stadt im ganzen Land zu sein.

Suleimania! In Basra klingt das wie Paris. Alles eine Frage der Maßstäbe.

Eine Familie aus dem Süden kostet es große Überwindung, ihrer Tochter eine Fahrt ans andere Ende des Landes zu gestatten, vor allem wenn sie unverheiratet ist. In Nadschaf, Basra oder Kerbala dürfen viele Frauen nicht einmal ins Internet-Café – und nun sollen sie weit weg reisen in eine kurdische Stadt, die viele Iraker nur vom Hörensagen kennen? Wo Frauen angeblich in kurzen Röcken und ohne Kopftuch herumlaufen, wo die Männer öffentlich Alkohol trinken und es in vielen Restaurants nicht einmal eine Familiensektion gibt, in der die Frauen getrennt von den Männern essen?

Selbst wenn die Familie, der Ehemann im Prinzip nichts dagegen hätten, was würden die Nachbarn sagen, die weitläufige Verwandschaft? Wenn es um Entscheidungen im Leben einer Frau geht, reden im Irak viele mit, auch ungefragt. »Wie kannst du das deinen Eltern antun?« wurde eine Freundin von mir aus Bagdad beschimpft, die beschloß, für einen interessanten Job allein ins kurdische Erbil zu gehen. »Wenn du dort ganz allein lebst, ist dein Ruf hier ruiniert.« Ich war sehr stolz auf meine Freundin, weil sie sich von dem Gerede nicht zurückhalten ließ. Aber ich sah auch, wie sie litt; der Keim der Angst – »so kriegst du nie einen Mann« – war gesät. Anders als bei uns ist Nichtheiraten für eine Irakerin keine Option, will sie ihr Leben nicht als ewige Tochter oder am Rand der Gesellschaft fristen. Acht Monate hielt meine Freundin durch, dann willigte sie in eine von den Eltern arrangierte Ehe ein und kehrte nach Bagdad zurück. Mit 26 Jahren aus Sicht der Nachbarn gerade noch rechtzeitig. Wegen ungewollter Heiratsanträge bräuchte ich mir also kaum Gedanken zu machen: Mit 37 Jahren bin ich nach lokalen Maßstäben »kein Ehematerial« mehr.

Manche Studentin bringt ihren Mann, einen Cousin oder einen Bruder als Eskorte nach Suleimania mit, weit mehr als die Hälfte tragen Kopftuch, eine kam vollverschleiert, nur die Augen frei – das ist uns alles egal. Hauptsache, die Frauen kommen. Und lernen. Und kehren in ihre Dörfer und

Städte zurück, um mit ihrem neuen Wissen dazu beizutragen, daß mehr Frauenstimmen zu hören und zu lesen sind im Irak. Was für ein schöner Gedanke: Wir hinterlassen überall im Irak kleine Frauen-Anarchistenzellen. Dann hätte sich die Zeit in Kurdistan auf jeden Fall gelohnt.

Wo Mariwans Kindheit starb

Es gibt Städte, deren Namen sind durch ihre Geschichte so sehr zum Symbol geworden, daß wir darüber die Stadt selbst beinahe vergessen. Halabja ist so eine Stadt. Der Name steht wie kaum ein anderer für die Unbarmherzigkeit Saddams. Am 16. März 1988, es war ein sonniger Frühlingstag, tauchten um elf Uhr Flugzeuge der irakischen Luftwaffe am Himmel auf und warfen ihre Fracht ab über der kleinen kurdischen Stadt nahe der Grenze zu Iran: Senfgas, Sarin, VX. Eine tödliche Wolke umhüllte die Stadt. 5000 Menschen starben sofort, fielen mit grotesk verzerrten Körpern und Gesichtern tot zu Boden. Andere starben langsam, an verbrannten Atemwegen, zerstörten Nieren, Krebs.

Giftgas und Genozid. Daran dachte ich, wenn ich Halabja hörte.

Doch dann schlägt Mariwan, auf daß Gina vor ihrer Abreise vom Land noch etwas sehe, einen Wochenendausflug vor. Und verwendet Halabja in einem Satz mit Wörtern wie Picknick, Bootsfahrt und Barbecue. Und mein mentales Fotoalbum füllt sich mit neuen Ansichten der gepeinigten Stadt.

Wir fahren zu sechst, Gina und ich und vier »unserer Jungs«, Mariwan, Alan, Ferhad und Mahdi. Als wir den Militär-Checkpoint an der Stadtgrenze von Suleimania hinter uns gelassen haben, legt Mahdi eine Cassette mit kurdischen Liedern ein, und die Männer fangen an zu singen. Gina und ich schauen uns die Landschaft an. Grüne Berge zu allen Seiten, davor ducken sich braune Dörfer in die Ebene. »Bevor ich herkam, dachte ich, ganz Irak sei flach und eine Wüste«, gesteht Gina, »nie hätte ich erwartet, daß es hier so schöne Landschaften gibt.«

Wer Kurdistan besuchen möchte, sollte im Frühling kommen. Wenn zartes Grün das Land überzieht und alle Narben mit dem Versprechen auf neues Leben zudeckt. Ob *Newroz*, das kurdische Neujahr, deshalb mit dem Frühlingsbeginn zusammenfällt? Wilde Blumen und Obstblüten verwandeln die Hänge in ein Konzert der Farben, die Luft ist mild, am Straßenrand halten Kinder Narzissen feil mit betörendem Duft und *Kingir*, eine eßbare Wurzel, die wild in den kurdischen Bergen wächst und wie Artischockenherzen schmeckt. Die Sonne vertreibt die Erinnerung an den *rasha ba* aus den wintersteifen Gliedern, jenen schwarzen Wind, der von November bis März frostig übers Land fegt. Die Kerosinöfen werden weggeschlossen, die Häuser gelüftet und allerorten die Picknickkörbe gepackt.

Ich genieße es, mit Menschen unterwegs zu sein, für die

mein altes Leben nur ein vager Schimmer ist. Keine Bezüge zu gemeinsamen Freunden, keine Erinnerung an alte Zeiten und daher auch keine Fragen wie »Und was wird jetzt, wo alles anders ist?« Bis auf Gina weiß niemand im Auto vom Wechselfall in meinem Leben.

Von Wechselfällen haben die anderen ohnehin mehr und Spannenderes zu erzählen. Und wir sind gerade unterwegs zu deren radikalster Bühne.

Mariwan war acht, als seine Kindheit starb. Am Tag, als die Bomben auf Halabja fielen, spielte er draußen mit Freunden, glücklicherweise nur ein paar Schritte von zu Hause entfernt. »Das Getöse der Explosionen schlug uns die Knie weich, wir konnten kaum laufen.« Trotzdem rannte er so schnell er konnte, durch ein Meer schreiender Mütter, die nach ihren Kindern riefen. Er schaffte es gerade noch in den Familienbunker. In dem winzigen Schutzraum unterm Elternhaus drängten sich bereits 50 Menschen, Mariwans Vater, die schwangere Mutter, seine Geschwister, Verwandte und Nachbarn. Sechs Stunden lang preßten sie nasse Tücher und Decken vors Gesicht, ihr einziger Schutz gegen die giftigen Gase, die selbst im Bunker durch die Ritzen krochen, »und die ganze Zeit über beteten wir zu Gott, er möge uns vor den Bomben retten.«

Noch am selben Tag floh Mariwans Familie über die nahe Grenze nach Iran. Sie liefen zwei Tage lang, bis sie erschöpft und krank vom Giftgas niedersanken in einem Flüchtlingslager. Ihr Zuhause für die nächsten sechs Monate, Mariwans Schwester Shaida kam im Iran zur Welt.

Dann erließ Saddam eine Amnestie für die Geflohenen. Sie durften zurück in den Irak, aber nicht nach Halabja. Den Kurden die Wurzeln zu kappen, um ein leichter kontrollierbares Volk der Heimatlosen zu schaffen, war ein Herrschaftsinstrument des Baath-Regimes.

Mariwans Familie lebte zweieinhalb Jahre in Suleimania, bevor sie sich 1991 zum erstenmal wieder nach Halabja wagten.

Eine Woche blieben sie in ihrem Haus, dann erreichte das Gerücht die Stadt, die irakische Armee sei unterwegs, alle Rückkehrer zu töten. Erneute Flucht, wieder in den Iran, doch diesmal ohne den Vater. Denn der – Irak unter Saddam war ein Land der Paradoxe – diente in eben jener Armee, vor der seine Familie gerade erneut die Flucht ergriff. Er war in Beidschi in der westirakischen Provinz Salaheddin stationiert. Doch er desertierte und machte sich auf die Suche nach seiner Familie, zu Fuß. Sieben Tage marschierte er. Erst nach Suleimania, wo man ihm sagte, seine Familie sei nach Halabja zurückgekehrt. Er lief dorthin, doch er kam zu spät: Sie waren bereits geflohen, also lief der Vater weiter, über die Berge, über die Grenze, bis er seine Frau und seine Kinder endlich fand in einem Camp im Iran. Wieder blieben sie ein halbes Jahr; diesmal nicht bei den Flüchtlingen, sie hatten Glück, im Iran lebende Verwandte nahmen sie auf. Die schmuggelten die Familie, einen nach dem anderen, im Krankenwagen aus dem Camp, das sie eigentlich nicht verlassen durften. Die Odyssee endete im Herbst 1991 mit der Rückkehr in die neu geschaffene Flugverbotszone oberhalb des 36. Breitengrads. Zum erstenmal seit Mariwans Geburt gab es einen »sicheren Hafen« für die Kurden im Irak.

Ich überlege, was ich aus meinem achten Lebensjahr erinnere. Zweites Schuljahr, die Aufregung, endlich lesen und schreiben zu können, Urlaub in der Steiermark, Ponyreiten, kindlicher Stolz auf die »goldene Wandernadel« vom Alpenverein.

»Da hinten fangen die Berge an, über die wir damals geflohen sind«, sagt Mariwan und deutet auf ein schneebedecktes Gebirge in der Ferne. Auch Alan floh, als er zwölf war, mit seiner Familie aus seiner Geburtsstadt Suleimania in die Berge: 1991, nachdem der Aufstand der Kurden gegen Saddam fehlgeschlagen war und sie zu Hunderttausenden an die türkische und iranische Grenze flohen. Am 3. April, vier Wochen vor Alans 13. Geburtstag, brach die Familie auf und lief sechs Tage und sechs Nächte durch, bis sie Tawela im Grenzgebiet zu Iran erreichten. Dort versteckten sie sich 15 Tage lang vor den Truppen Saddams, die überall in die kurdischen Städte einmarschierten.

Geschichten von Krieg und Vertreibung wohnen in fast jedem kurdischen Haus. Auch wenn wir zu einem Picknick im Grünen fahren: Wir reisen durch ein wundes Land. Woran uns auch die roten Schilder mit schwarzem Totenkopf erinnern, die hier und da am Straßenrand vor Minenfeldern warnen; um so häufiger, je näher wir an die iranisch-irakische Grenze kommen, acht Jahre lang eine der tödlichsten Demarkationslinien der Welt.

»Wißt ihr, daß der Giftgasangriff einer der Gründe war, warum ich beschloß, Journalist zu werden?« fragt Mariwan. Damals im Flüchtlingslager im Iran wunderte sich der kleine Mariwan, daß die Welt kaum Notiz nahm vom Leid der Kurden. 5000 Menschen waren tot, doch nichts geschah. Saddam blieb Präsident, wurde von den Mächten des Westens weder verstoßen noch bestraft. Als Erwachsener werde er der Welt erzählen, was den Kurden widerfahren sei, nahm sich Mariwan vor. Als drei Jahre später das nächste kurdische Flüchtlingsdrama begann, kamen anders als 1988 viele ausländische Journalisten ins Land. Gern hätte Mariwan mit diesen Menschen, die von weither kamen, geredet – aber wie?

Mit Hilfe von Wörterbüchern begann er sich Englisch beizubringen; wann immer er konnte, hörte er im Teehaus seines Vaters, wo er nachmittags arbeitete, *BBC*. Dem Vater gefiel die Ambition des Sohnes nicht. Studieren – was half das schon in einem Land wie Irak, wo diplomierte Ingenieure sich als Hausmeister verdingten, um während der

Sanktionen ein Auskommen zu finden? Wäre es nach ihm gegangen, hätte Mariwan das Teehaus der Familie in Halabja übernommen. Tee tranken die Kurden immer, im Krieg wie im Frieden. Tee fiel unter kein Embargo, Tee war eine sichere Angelegenheit in einer unsicheren Welt.

»Wir sind da«, ruft Alan, als der Stausee von Darbandikhan zu unserer Rechten auftaucht. »Unser erster Stopp. *Ba broin bo seran* – laßt uns ein Picknick machen!«

Mit der späten Nachmittagssonne kommen wir schließlich in Halabja an. Mariwan lotst uns durch die engen, ungeteerten Straßen der Stadt, bis wir vor seinem Elternhaus stehen. Jenem Haus, in dem er vor 17 Jahren Zuflucht vor den giftigen Bomben fand. Seine Eltern und ein paar seiner Brüder und Schwestern mit ihren Familien warten schon. Mir wird ganz schwindlig vor lauter Küssen auf rechte und linke Wangen, dabei grüßen Gina und ich natürlich nur die Frauen der Familie so. Aber Mariwan hat zehn Geschwister, fünf ältere und fünf jüngere, einige sind verheiratet und haben selbst schon mehrere Kinder. Wir verlieren bald die Übersicht, wer zu wem gehört. Mariwan tröstet uns: »Das macht nichts, ich komme auch manchmal durcheinander.«

»Wie behältst du nur alle Geburtstage im Kopf bei einer so großen Familie?« frage ich. »Das ist einfacher, als du denkst. Geburtstage sind bei uns nicht so wichtig, früher wurde bei jedem einfach der 1. Juli in die Geburtsurkunde eingetragen. Deshalb haben sieben meiner Geschwister offiziell am selben Tag Geburtstag.«

In Ehrfurcht betrachte ich seine Mutter. Elf Kinder. 99 Monate Schwangerschaft. Ich habe drei Schwestern, das reicht in Deutschland schon zum »Würmeling-Paß« für kinderreiche Familien.

Um uns herum kommen und gehen Töchter und Schwiegertöchter, tragen Schüsseln und Töpfe umher. Das Haus des ältesten Bruders liegt gleich nebenan, dort werden wir am Abend grillen und später auch übernachten.

Beide Häuser, das der Eltern und des Bruders, haben wunderschöne Gärten. Wir sitzen zwischen duftenden Rosensträuchern, und ich tue mich schwer, mir vorzustellen, wie hier vor 17 Jahren der Tod vom Himmel fiel. Ich sehe Mariwan an und seine vielen Geschwister, wie durch ein Wunder haben sie das Inferno alle überlebt. Sein Onkel allerdings, der Bruder der Mutter, und drei seiner Söhne sind an jenem Märztag gestorben, worüber die Mutter fast den Verstand verlor. Immer wieder mußte Mariwan als Kind erleben, wie seine Mutter für zwei, drei Tage völlig in ihrer eigenen Welt versank, wortlos, für niemanden ansprechbar, wenn der Gram sich zwischen sie und ihre Kinder schob. Vielleicht kann er sich deshalb für einen kurdischen Mann so ungewöhnlich gut selbst versorgen – der ideale Mitbewohner, wie wir einige Wochen später merken sollten.

Der Abend in Halabja ist hinreißend, sehr kurdisch, mit Bergen von Gegrilltem und Gesottenem, alles auf dem Boden in großen Schüsseln serviert, aus denen jeder mit einem Löffel ißt. Anschließend strecken wir uns auf den im Garten verteilten Kissen aus, trinken Tee und rauchen Wasserpfeife. Über uns blühen ein Granatapfel- und ein Maulbeerbaum, und in die stille Vollmondnacht sagt einer von uns, ich weiß nicht mehr wer: »Daß wir heute nacht hier so sitzen können, ist unser Triumph über Saddam.«

Am nächsten Morgen sehen wir die dunkle Seite von Halabja an, die Gedenkstätte zur Erinnerung an die 5000 Toten. Vor dem Eingang warnt ein Schild »Zutritt für Baathisten verboten«.

»Sollte man nicht gerade die Anhänger des alten Regimes zwingen, sich anzusehen, was hier geschehen ist?« frage ich Mariwan, während wir an Hunderten von Opferfotos vorbeischreiten, so grausam, daß ich kaum hinsehen kann. Wie hat er als kleiner Junge das ertragen?

Er zuckt mit den Schultern. »Meinst du, die würden irgendwas bereuen? Viele von denen behaupten doch heute noch, das Giftgas habe nicht Saddam geschickt, sondern Iran.« Eine Haltung, der ich im Irak in der Tat schon oft begegnet bin. Hier, im Museum von Halabja, verstehe ich, warum es den Kurden so wichtig ist, Saddam explizit auch für die Verbrechen gegen sie vor Gericht zu sehen. Ihn am Galgen zu wissen ist nicht das Wichtigste. Sondern daß er zur Rechenschaft gezogen wird für seine Verbrechen gegen das kurdische Volk. Erst dann ist erfüllt, wonach Mariwan sich bereits als Achtjähriger im Flüchtlingslager im Iran gesehnt hat: daß die Welt das Leid der Kurden anerkennt.

Nach dem Museumsbesuch brechen wir wieder ins Grüne auf, in die Bergdörfer Biara und Tawela. Noch vor zwei Jahren hätten wir keinen Fuß in diese Gegend setzen können, die bis zum Angriff der Amerikaner fest in der Hand islamistischer Terroristen war. Aus ihren entlegenen Rückzugsfesten schickten sie immer wieder Todesschwadronen in die kurdischen Städte und Dörfer, entführten *Peschmerga*, schnitten ihnen die Kehle durch und filmten sich gegenseitig dabei. Wundes Land. In Tawela trinken wir einen Tee in der Abendsonne und fahren dann langsam nach Suleimania zurück.

Flitterwochen in der *Green Zone*

»Hast du dir das auch gut überlegt? Ein Leben in der Green Zone, immer höchste Sicherheitsstufe, ständig hinter Mauern und Beton – bist du sicher, du hälst das aus?« Ich sitze mit Hiwa im Garten hinter der Villa zwei; dort, wo ich im Frühsommer 2004 auf der Durchreise von Bagdad nach Deutschland den Entschluß gefaßt hatte, bald in den Irak zurückzukehren. Nicht nach Bagdad, weil das zu gefährlich wäre, sondern nach Suleimania.

Und nun plant Hiwa gerade das Gegenteil. Weg aus Suleimania, zurück nach Bagdad. Für einen Job.

Natürlich ist es nicht irgendein Job, für den er das riskieren will. Nein, Hiwa soll direkt für den irakischen Präsidenten arbeiten: als persönlicher Medienberater von Dschalal Talabani, dem ersten Kurden im Präsidentenamt.

Was für eine Herausforderung für einen 34jährigen! Hiwa spricht lieber von einer patriotischen Pflicht. »Ich habe das Gefühl, ich kann gar nicht nein sagen, wenn der Präsident mich jetzt, in dieser schwierigen Phase unseres Landes, um Hilfe bittet.« Ich habe schon weniger pathetische Begründungen für einen Jobwechsel gehört, aber vielleicht stimmt es sogar: Hiwa ist selbst Sohn eines Politikers, sein Vater mischt seit 1962 in der kurdischen Politik mit, stieg 1968 sogar zum Stellvertreter Mustafa Barzanis in der KDP auf. Später gründete er seine eigene Partei und wanderte schließlich nach England aus, wo Hiwa überwiegend aufgewachsen ist. Debatten über irakische und kurdische Politik waren der Soundtrack seiner Kindheit.

Ich kann ihn mir gut vorstellen in der Entourage des Präsidenten, im Dienst der Macht. Auch hier in Suleimania hat er zuweilen als politischer Unterhändler gewirkt; an manchen Tagen parkten Dutzende große weiße Geländewagen vor unserem Haus, wenn Hiwa und sein Vater mal wieder versuchten, zwischen den rivalisierenden Kurdenparteien KDP und PUK zu vermitteln. Die haben in der Vergangenheit vielfach mehr gegeneinander gekämpft als gegen den eigentlichen Feind, Saddam Hussein. Bis heute sind sie nicht miteinander versöhnt. Weshalb es leichter ist, vom PUK-regierten Suleimania aus nach China zu telefonieren als ins KDP-geführte Erbil 300 Kilometer weiter nördlich: Beide Parteien haben ein eigenes Mobilfunknetz in ihrem Herrschaftsbereich etabliert und sich geweigert, sie füreinander zu öffnen. Immerhin, man schießt nicht mehr aufeinander.

Unserer WG stehen also Abschiede bevor. Ginas, Hiwas und ein weiterer, von dem ich aber noch nichts weiß.

Wir feiern im Garten. Ein Freund bringt seine Gitarre

mit, Hiwa kauft Bier, Wein und Tequila, und alle, die wir kennen, kommen, um *Goodbye* zu sagen. Vereinte Nationen in Kurdistan: Fremde, vom Leben zusammengewürfelt zu Freunden, die lachend Pläne schmieden für eine *Clubbing*-Tour nach Harare, Silvester in Tel Aviv, Weihnachten in Bagdad. Und doch wissen um die Einmaligkeit des Augenblicks an diesem Rand der Welt.

Denn unser echtes Leben findet woanders statt. Gina würde zwei Tage nach der Party in ihres zurückkehren, Hiwa drei Tage später nach Bagdad aufbrechen, und ob wir uns je wiedersehen, ist ungewiß.

Zum Glück gibt es das Internet. So können wir, egal wohin der Wind des Lebens uns als nächstes treibt, einander auf der Spur bleiben. Wir werden E-Mails schreiben, das steht fest. Gina wird begeistert von der Wiederentdeckung des New Yorker Nachtlebens erzählen, wo sie nach ihrer Heimkehr ausgiebig durch die Schwulenbars ziehen und es von Herzen genießen wird, »in einem Raum voller Männer zu sein, und niemand starrt mich an«. Sie wird vom Hauskauf in Detroit berichten, vom kurdischen Restaurant »Erbil« um die Ecke und von dem seltsamen Gefühl, das sie beschleicht, als die neuen Nachbarn zur Begrüßung klingeln: »Jetzt lebe ich in *Suburbia*!« Im Juli werde ich mich für sie freuen, wenn sie den Job beim *Wall Street Journal* bekommt und sie sich im Herbst für mich, wenn ich von meiner neuen Liebe schwärme.

»Hey Leute, hört mal her, ich möchte euch was sagen.« Hiwa kommt aus der Küche mit einer Dose Bier in der Hand und der Miene eines Redners im Gesicht. »Habt ihr alle was zu trinken? Ich möchte mit euch anstoßen.« Musik und Gespräche verstummen, jeder greift ein Glas oder eine Dose, dann schauen wir erwartungsvoll Hiwa an, der sich neben Ava in einen der Korbstühle setzt.

»Die meisten von euch wissen bereits, daß ich eine Entscheidung getroffen habe, die mir nicht leichtgefallen ist: Ich werde *IWPR* verlassen, nach Bagdad gehen und für den Präsidenten arbeiten. Es gibt aber noch etwas, das bisher nur wenige von euch wissen.« Er sieht Ava an. Die wird rot. »Ava und ich sind verlobt und werden heiraten.«

Gina, Jessica und ich schauen uns fassungslos an. »Was? Ihr beide? Heiraten?« Die Überraschung ist gelungen, wir haben nichts, aber auch gar nichts geahnt. Wie geht das an: unter einem Dach zu wohnen und nichts von der Romanze zu merken? Entweder sind wir blind gewesen oder die beiden, als Iraker, sehr geübt im Geheimhalten ihrer Liebschaft. Wo wir uns doch wie im Aquarium fühlen. Es lebe die Diskretion! Jetzt, da ich es weiß, fallen mir viele kleine Indizien ein: all die Abende, an denen Ava uns nicht begleitete, wenn wir ausgingen, weil angeblich eine Tante zu Besuch kam oder sie zu einem Onkel mußte. Und wie oft haben wir die beiden zufällig beim Chinesen getroffen! Nie dachten wir uns etwas dabei, sie und Hiwa arbeiteten ja auch eng zusammen. Vermutlich kam uns durch die völlig asexuelle Umgebung schon gar nicht mehr in den Sinn, daß ein unverheirateter Mann und eine unverheiratete Frau auch mehr sein konnten als nur Freunde oder Kollegen. Die Mahnung aus London war uns tiefer in die Knochen gefahren als erwartet: Wir benahmen uns nicht nur wie Nonnen, wir dachten auch wie welche.

Hiwa und Ava grinsen. Alle – oder fast alle an der Nase herumgeführt. Nur unser Übersetzer Alan, zugleich ein enger Freund von Hiwa, und unser Buchhalter Shirwan, der mit ihm verwandt ist, haben Bescheid gewußt.

»Herzlichen Glückwunsch!« Wir stoßen auf die beiden an, umarmen sie, dann spielt der Gitarrist auf zum Tanz. Wir geben uns die Hand, formen einen Kreis und werfen im Takt der Musik die Schultern auf und nieder. Der traditionelle Tanz der Kurden, zu jeder Musik, zu jeder Gelegenheit. Wir haben zuletzt so getanzt zur Wahl des Präsidenten – für den Hiwa nun arbeiten wird und Ava auch.

Heute abend mit uns im Garten träumen die beiden noch von einer prunkvollen Hochzeit, doch bleibt dafür dann gar keine Zeit. Bagdad ruft, die patriotische Pflicht, und so heiraten sie ein paar Wochen später in aller Stille und im kleinen Kreis. Hochzeitsreise? Flitterwochen? Ein amerikanischer Radioreporter wird die beiden Monate später in Bagdad besuchen. »Hier haben wir unsere Flitterwochen verbracht«, erzählen sie ihm in der *Green Zone*, dem festungsgleich ausgebauten Regierungsviertel am Tigris, wo sie fürderhin wohnen. Romantik hinter Beton, in Rufweite des Grauens beginnen sie ihren Weg zu zweit. Und weil sie in dieser ungewöhnlichen Umgebung leben, nehmen sie einander ein ungewöhnliches Versprechen ab: Nie würde einer allein sich auf gefährliche Mission begeben; brenzlige Fahrten und Reisen: immer zu zweit.

»Wenn einem von uns etwas zustößt, möchte der andere nicht zurückbleiben«, sagt Hiwa. »Wir haben uns entschlossen zusammenzuleben. Wenn es sein soll, sterben wir auch zusammen.« Egal ob da der Medienprofi oder der Romantiker Hiwa spricht – der Schwur gefällt uns sehr.

Wir sehen besonders Hiwa fortan nur noch im Fernsehen. Wann immer Talabani auf *BBC* oder *CNN* auftaucht, huscht Hiwa durchs Bild oder ist am Rand zu sehen, wie er mit ernstem Gesicht Anweisungen gibt, Journalisten von hier nach da dirigiert und sicherstellt, daß sein Präsident im richtigen Licht erscheint. »Hiwa ist im Fernsehen!« schreien wir dann durchs Haus und versammeln uns schnell auf der gelben Couch. »Hallo, Hiwa!« winken wir ihm in einem Anflug von Albernheit zu und fühlen uns zur Promi-WG geadelt, auch wenn Hiwa nie in unserem Haus, sondern immer in der kleinen Villa nebenan gewohnt hat. Unser Exchef auf der Bühne der Weltpolitik. Jetzt muß er zumindest nicht mehr nach Vibratoren und angeblich gestohlener Spitzenwäsche fahnden.

Gina reist zwei Tage nach dem Fest im Morgengrauen ab. Schlaftrunken begleiten Jessica und ich sie zum Tor, wo Farhad und Mariwan warten. Sie werden Gina bis an die türkisch-irakische Grenze begleiten, wo ein türkischer Fahrer sie erwartet zur Weiterfahrt nach Diyarbakir. Im Mai 2005 ist Kurdistan noch ziemlich weit weg vom Rest der Welt, da es keine internationalen Direktflüge gibt; will man nicht über Bagdad fliegen, bleibt nur der Landweg über die Türkei, eine zähe, zehnstündige Autofahrt. Von Diyarbakir wird Gina nach Istanbul fliegen und von da am nächsten Morgen über London weiter in die USA.

Jessica und ich winken ihr nach, bis das orange-weiße Taxi um die Ecke biegt, dann kehren wir ins Haus zurück. Leer kommt es uns vor. Erst Shannon, jetzt Gina, und in ein paar Wochen wird Ava Hiwa nach Bagdad folgen. Aus fünf Frauen wurden vier, wurden drei, wurden zwei, zu wenige für das große Haus. Ginas Nachfolgerin, Tiare aus Hawaii, ist erst für September angekündigt, dann wären wir zumindest wieder zu dritt in unserer Frauen-WG. Bleiben immer noch die beiden Zimmer im obersten Stock.

Zwei leere Zimmer – und das, wo genau zwei unserer Kollegen nur im Hotel untergekommen sind, Ayub und Mariwan. Die anderen Kurden aus unserem Büro sind entweder verheiratet oder leben bei ihren Eltern, wie für unverheiratete Kurden üblich. Mariwan und Ayub aber kommen aus Halabja, ihre Familien wohnen drei Autostunden entfernt, deshalb haben sie sich zusammen ein Zimmer genommen in einem lauten, schlichten Gasthaus mitten im Bazar.

Männer. Kurden. Mit uns in einem Haus: Geht das überhaupt? Geraten wir nicht sofort wieder in den Ruch der Unsittlichkeit? Die Wochen nach der Party sind ruhig geblieben, keine Anrufe aus London, keine Beschwerden von der Partei. Daß trotzdem über uns geredet wird, nehmen wir an, es uns aber nicht zu Herzen. Häuslicher als hier war ich in meinem ganzen Leben zuvor nicht. Abend um Abend verbringen wir auf dem gelben Sofa, schauen gemeinsam ägyptische Liebesfilme an, die wir nicht verstehen, und auf einem Satellitensender Jessies geliebte *Oprah-Winfrey-Show*. Überlegen wir auszugehen, läuft das klassischerweise so:

»Wollen wir essen gehen?«

»Wo denn?«

»Weiß nicht.«

»Ins ›Revan‹?«

»Nicht schon wieder. Ich kann keinen Kebab mehr sehen. Zum Chinesen?«

»Nee, da waren wir erst vorgestern, und das Essen da ist so fett.«

»›Ashti‹?«

»Zu viele Männer.«

»...«

»...«

»Okay, also wer kocht?« Und dann folgt das 55. Gemüsecurry oder die 38. Spaghetti Arrabiata.

Ein bißchen Kurdistan im Haus wäre sicher nicht schlecht. Vielleicht würden kurdische Mitbewohner das Gefühl »wir hier« und »die da« ein wenig lindern? Auch für die Kommunikation mit den Wächtern wäre es hilfreich, die beiden im Haus zu haben. Weder Jessica noch ich haben bislang sonderlich viel Kurdisch gelernt; zu groß schien uns der Aufwand für eine Sprache, von der es so viele so unterschiedliche Dialekte gibt, daß ein Kurde aus Suleimania und ein Kurde aus dem eine Tagesreise entfernten Dohuk sich nur mit Mühe verstehen. *Tschoni, baschi, supas, wa chafiz*: hallo, wie geht's, danke und auf Wiedersehen, kleine Alltagsformeln kennen wir natürlich, mehr aber auch nicht.

Statt dessen versuchen wir es mit Arabischunterricht, geben den aber bald wieder auf, weil es zu frustrierend ist, jedesmal, wenn wir etwas auf arabisch sagen, zu hören, warum wir denn nicht Kurdisch lernen, schließlich seien wir hier in Kurdistan! Doch bedarf es zumindest für mich erst eines persönlicheren Anreizes, bevor ich mich der Sprache öffne, die, wie ich dann merke, viel leichter als Arabisch zu lernen ist.

Mariwan und Ayub kennen sich seit vielen Jahren, sie besuchten in Halabja zusammen die Grundschule und später auch ein paar Jahre lang gemeinsam die höhere Schule. Zwischendurch verloren sie sich immer wieder aus den Augen, wenn entweder Mariwans oder Ayubs Familie gerade mal wieder gen Iran fliehen mußte. Ayub schaffte es einmal sogar, als blinder Passagier auf einem Frachter bis nach Griechenland zu reisen, wo ein Onkel von ihm lebt. Zwei Wochen lang versteckte ihn ein gastfreundlicher Grieche, doch als Ayub sich schließlich auf den Weg zu seinem Onkel machte, lief er der Polizei in die Arme und wurde abgeschoben. Glücklicherweise nur in die Türkei; ein Rücktransport in den Irak hätte ihn das Leben kosten können. Von der Türkei reiste er unbemerkt wieder in seine Heimat ein, als sei er nur mal eben zum Einkaufen in Istanbul gewesen.

Ayub spricht außer seiner Muttersprache Kurdisch fließend Englisch, Arabisch, Persisch und ein bißchen Deutsch. Er hat als Dolmetscher bereits für die *BBC* und das *New York Times Magazine* gearbeitet und leitet zusammen mit Jessica unser Radiotraining. Ihm hat sie als erstem die Wahrheit über ihre Religion anvertraut, nachdem er sie gleich am zweiten Tag nach ihrer Ankunft durch das alte jüdische Viertel Suleimanias geführt hat.

Eine Granate, die während des Iran-Irak-Kriegs auf das Haus seiner Familie in Halabja fiel, zerschmetterte sein rechtes Knie, weshalb er bisweilen einen Gehstock benutzt, der ihn älter als seine 26 Jahre wirken läßt. Das Alter nach Jahren zu messen ist in Kurdistan ohnehin nur bedingt sinnvoll: Was sagt das bei den Lebensgeschichten schon aus?

Nichtsdestotrotz hat keiner von beiden je mit einer Frau aus dem Westen ein Haus geteilt. Wegen Streit um die Hausarbeit machen wir uns wenig Sorgen; eine Putzfrau, die jeden Tag kommt, gehört zu den wenigen Extravaganzen unseres Auslandsdaseins; auch einen Gärtner und eine Art Hausmeister gibt es.

Meine Bedenken sind weniger praktischer denn profaner Natur: Was würden Ayub und Mariwan sagen, wenn wir zum Essen Bier oder ein Glas Wein trinken, wenn unsere männlichen Freunde uns besuchen, wenn wir im Fernsehen oder auf DVD einen Film mit für muslimische Augen anzüglichen Szenen oder Dialogen sehen? Ich bin bereit, mich draußen den Sitten des Landes anzupassen. Aber nicht in meinem Wohnzimmer.

Zögen die beiden ein, wären wir nicht nur ein internationales, sondern auch ein multireligiöses Haus: Zwei Muslime, eine Jüdin und eine zwischen Agnostik und Atheismus schwankende Exkatholikin unter einem Dach. Und mit Tiare käme im Herbst noch eine Ungetaufte hinzu. Einen Abend mit Jessica Pessach feiern ist eine Sache. Vier Wochen Ramadan im eigenen Haus eine andere. Ich finde es schwer vorherzusagen, worüber wir aneinandergeraten könnten – und wie wir Monate später merken werden, ist das auch nicht vorhersehbar. Es liegt nicht einmal in unserer Hand.

Ich kenne Ayub und Mariwan noch nicht gut genug, um einzuschätzen, wie ernst sie es nehmen mit dem Glauben, mit den Geboten des Islam. Ayub habe ich dann und wann mit einem Rosenkranz in der Hand gesehen und ein paarmal beobachtet, wie er sich zu den Gebetszeiten in eine stille Ecke zurückzog. Bei Mariwan ist mir nichts dergleichen aufgefallen. Seine Familie in Halabja habe ich ja mit

Gina zusammen besucht, das wirkte recht entspannt; ein paar der Frauen trugen Kopftuch, und in Gegenwart von Mariwans Vater tranken wir keinen Alkohol. Im Haus des Bruders aber durften wir ohne jeden schrägen Blick alle in einem Zimmer nächtigen.

Jessica und ich wägen das Für und Wider ab und beschließen, die Außenwelt endgültig ins Haus zu lassen. Von der Ursprungsidee, unsere Wohnetage möglichst getrennt zu halten vom sonstigen Geschehen, ist ohnehin nicht mehr viel übrig. Die anfangs geplante verschließbare Tür zwischen dem Erdgeschoß mit den Schulräumen und dem Wohntrakt in den oberen Etagen ist nie installiert worden, und wir haben uns daran gewöhnt, allzeit mit Besuch zu rechnen. In kurdischen Häusern melden sich Gäste selten an. Sie kommen einfach vorbei, und es gilt als rüde, sie wieder fortzuschicken, vor allem wenn sie zur Familie gehören. Und kurdische Familien sind groß.

Ohne es so recht zu merken, sind wir selbst zu einer Art Familie zusammengewachsen. Kaum ein Tag vergeht, an dem nicht mindestens einer unserer kurdischen Kollegen vorbeikommt, aus dienstlichen Gründen, zum gemeinsamen Essen, um nach dem Rechten zu schauen, um etwas vorbeizubringen oder einfach nur um hallo zu sagen. In den Anfangstagen in der Villa waren wir noch um Distanz bemüht und versuchten, die Regel zu etablieren, jeder, der nicht im Haus wohne, dürfe erst nach oben kommen, wenn eine von uns dies ausdrücklich gestattet habe.

Aussichtslos. Und zur gegenseitigen Nervenschonung beharren wir nicht länger darauf. Privatsphäre ist den meisten Kurden ein Fremdwort. Und es hat ja auch sein Gutes, daß sich alle so rührend kümmern.

Denn im Irak können die einfachsten Dinge sehr kompliziert werden. Die Wasserversorgung zum Beispiel. Im Hof hinter unserem Haus und auf dem Dach stehen Tanks, deren

Funktionsweise ich nie ganz begriffen habe. Ich glaube, durch ein primitives, aber ausgeklügeltes Pumpensystem wird Wasser aus den unteren Tanks hinaufbefördert; wohl weil der Druck in den Leitungen sonst nicht ausreicht, die Badezimmer in den oberen Stockwerken mit Wasser zu versorgen. Manchmal kommt aus der öffentlichen Leitung auch gar kein Wasser, dann muß irgendwo Wasser bestellt und mit einem Tanklaster herbeigekarrt werden. Während wir, wenn es ein, zwei Tage stark regnet, praktisch im Wohnzimmer duschen können, wo das Wasser in Strömen die Wände herunterläuft.

Wir sind dann jedesmal heilfroh, daß wir die dummen Ausländerinnen spielen und die Lösung alltäglicher Probleme unseren hilf- wie erfindungsreichen einheimischen Geistern überlassen dürfen. Schon bald können wir uns ein Leben ohne Dana, Akram und Shirwan, die genialsten aller Beschaffer, nicht mehr vorstellen. In Wahrheit kann keine internationale Hilfsorganisation ohne ihre Danas, Akrams und Shirwans in Ländern wie Irak operieren. Sie würden gnadenlos am Alltag scheitern.

Keine von uns wäre auf die Idee gekommen, unser Internet mit einer Autobatterie zu koppeln, um auch bei Stromausfall die Verbindung nicht zu verlieren. Keine hätte einen Generator reparieren können. Eine Ewigkeit waren die Kurden im Irak von der Außenwelt weitgehend isoliert; erst, weil sie als Selbstversorger in entlegenen Dörfern lebten, später, weil Saddam Hussein und seine Baath-Partei Handel, Wirtschaft und Reisen kontrollierten; weil die Türkei aus politischen Gründen die Grenze zum Nadelöhr machte; weil das Embargo gegen den Irak auch Kurdistan traf. So wurde das Sprichwort von der Not, die erfinderisch macht, zur Überlebenstugend und wurden die Kurden zu einem Volk der Tüftler. Was es nicht gab, wurde improvisiert. Jeder war Schreiner, Elektriker, KFZ-Mechaniker und

Klempner zugleich, und ein Rest davon steckt bis heute in jedem Kurden.

Das geht nicht immer gut, mancher hat mit dem Leben für nicht ordentlich verlegte Stromkabel bezahlt. Und doch war es nicht zuletzt diese Durchwurstel-Mentalität, die die Kurden in scheinbar aussichtslosen Momenten überleben ließ.

Uns bringt das ständige Improvisieren bisweilen an den Rand des Wahnsinns, oft genug aber rettet es uns durch den Alltag, wo es schlicht keine andere Lösung gibt. Unsere Villa liegt eben im Irak, nicht in Hamburg oder New York. Und wird noch eine ganze Weile unser Zuhause bleiben: Jessica und ich haben beschlossen, unsere Verträge als Ausbilderinnen für Journalisten mindestens bis zum Jahresende 2005 zu verlängern. Doch damit ich bleiben kann, muß ich zuvor eine kurze Reise in meine Vergangenheit unternehmen. Erst dann werde ich in Kurdistan leben können ohne das Gefühl, ich liefe vor etwas davon.

Reise in die Vergangenheit

»Du bist verrückt! Es wird dir das Herz brechen. Mindestens aber wird es dich um Wochen zurückwerfen. Du bist so gut mit der Trennung klargekommen, warum willst du dir das antun?« Jessica scheint wirklich überzeugt, ich hätte den Verstand verloren. Gerade habe ich ihr von meinem Plan erzählt, mich mit meinem Exfreund für ein abschließendes Gespräch zu treffen. Da ich ihn hier im Aquarium nicht sehen will – was würde ich den anderen sagen? –, aber auch nicht plane, in absehbarer Zeit nach Deutschland zu fahren, habe ich einen Ort quasi in der Mitte vorgeschlagen: ein Strandressort auf dem Sinai. Ich käme für ein paar Tage raus, müßte nicht unter Observation meines gesamten Teams eines der schwersten Gespräche meines Lebens führen und könnte das Kapitel friedlich zu den Akten legen und mit klarem Herzen und Verstand die nächsten Monate in Kurdistan bleiben.

Nach Hiwas Weggang hat mir unsere Zentrale in London dessen Nachfolge angeboten. Doch wenn ich als *Country Director Iraq* die Verantwortung für insgesamt 20 Mitarbeiter übernehmen will, brauche ich die Gewißheit: Ich bin hier, weil ich hier sein will, und nicht, weil ich vor etwas anderem davonlaufe. Irak ist kein Land, in dem ich halb sein kann, dazu frißt es zuviel meiner Energie. Für den Alltag vor Ort brauche ich meine ganze Kraft, also darf es keine Leichen im Keller geben, keine Gespenster hinterm Haus. Eine nach zwölf Jahren am Telefon beendete Beziehung aber hat Potential für einen nervenzehrenden Spuk. So bin ich auf Basata gekommen.

In dem Bambushütten-Camp am Roten Meer verbrachten wir vor zwölf Jahren unseren ersten gemeinsamen Urlaub. Die schönsten Tage einer Reise, die ich im nachhinein »In zwei Wochen quer durch Nahost« taufte: Damaskus, Tartus, Lattakia, Amman, Petra, Sinai, Bethlehem und Jerusalem. Für mich die erste Begegnung mit der arabischen Welt, der viele weitere folgten und mich schließlich in den Irak und dann nach Kurdistan brachten.

»Es geht nicht anders«, sage ich zu Jessica. »Ich will nicht, daß er herkommt, nach Deutschland will ich auch nicht, aber je eher wir uns sehen, um so eher kann ich mit meinem neuen Leben beginnen.« An jenem schönen Ort friedlich voneinander Abschied nehmen, an dem vor zwölf Jahren so vieles begonnen hatte, scheint mir ein würdiger Abschluß für dieses Drittel meiner Lebenszeit. Ein Risiko auch, aber was ist im Leben und erst recht in der Liebe ohne Risiko?

Wir würden uns in Amman treffen, nach Aqaba fliegen und mit der Fähre übersetzen auf die andere Seite des Roten

Meers; von da sind es noch 30 Kilometer mit dem Taxi. Drei Tage Zeit zum Reden, dann würde jeder zurückkehren in seine Welt, die nun nicht mehr die des anderen ist.

Mein Plan hat einen Haken: Alle Flüge von Kurdistan nach Amman gehen über Bagdad. Am *BIAP*, dem *Baghdad International Airport*, führt für mich kein Weg vorbei. Als sich die kleine Propellermaschine mit rund 20 Leuten an Bord der Hauptstadt nähert und die Schleife des Tigris zu erkennen ist, meldet sich der Pilot: »Wir werden in Kürze in Bagdad landen und jetzt mit unserem Landeanflug beginnen. Heute fliegen wir eine Linksspirale. Lehnen Sie sich zurück und genießen Sie.«

Die Spirale: Als drehe sich das Flugzeug um eine unsichtbare Achse, beginnt der Pilot in kleinen Kreisen zu fliegen, immer wieder in 360 Grad um eine imaginäre Mitte herum. Der Grund liegt nahe: Sicherheit. Um das Risiko eines Abschusses durch Terroristen zu minimieren, wird der Landeanflug auf Bagdad soweit wie möglich in den Luftraum über dem Flughafen gelegt. Die kleine Fokker schraubt sich quasi auf der Stelle in die Tiefe. Zehn Minuten Panoramablick auf eine gebeutelte Stadt. Da unten, im *Camp Victory* gleich neben dem Flughafen, ist noch immer Brian stationiert, Ginas Mann. Schade, daß ich nicht gleich kurz hinübergehen und hallo sagen kann.

Ich versuche gerade, das Viertel auszumachen, in dem wir während unserer Bagdader Reporterzeit vor einem Jahr wohnten, keine hundert Meter vom Tigris-Ufer entfernt, als unter uns zwei amerikanische Militärhubschrauber durchfliegen. Ich muß daran denken, wie wir nach anstrengenden Recherchetagen abends oft auf unserem abgewetzten Sofa gesessen und ausgerechnet *Black Hawk Down* geguckt haben, den Film über das Scheitern der amerikanischen Intervention in Somalia, während draußen lautstark echte *Black Hawks* überm Haus kreisten.

»Dies ist unser Krieg, Sie hätten nicht herkommen dürfen«, sagt im Film Mister Aito, stellvertretend für alle Warlords, zu einem Offizier der US-Armee. Schon damals, im Frühjahr 2004, überlegte ich, wie viele amerikanische Soldaten inzwischen über Irak dasselbe dachten.

Gern hätte ich das jetzt den schwerbewaffneten GI gefragt, der uns auf dem Rollfeld begrüßt. Doch er winkt uns eilig durch zum Bus. Heiße Luft streicht mir über die Haut. Außentemperatur: 41 Grad.

Im Flughafengebäude ist es auch nicht viel kühler. Richtig ins Schwitzen komme ich, als mich am Einreiseschalter der Beamte nach meinem Visum fragt. Wieso überhaupt Paßkontrolle? denke ich, ist Erbil-Bagdad nicht ein Inlandsflug?

»Ich habe kein Visum, da ich von der Türkei in den Nordirak eingereist bin und an der Grenze dort kein Visum erforderlich ist.«

Leider habe ich auch keinen Einreisestempel, wie der Beamte jetzt bemerkt. Er will nichts davon wissen, daß im Norden andere Gesetze gelten. Daß ich doch nur ausreisen will und auf dem Weg nach Amman bin, interessiert ihn auch nicht: ohne Einreisestempel keine Ausreise.

Durch endlose Korridore werde ich ins Büro irgendeines wichtigen Menschen geführt. Der blickt mich erst lange schweigend an, dann fragt er auf englisch mit vollendetem britischen Akzent, warum ich weder ein Visum noch einen Einreisestempel habe. Wieder sage ich mein Sprüchlein auf von den Kurden und offenbar anderen Regeln an der Nordgrenze. Der Beamte herrscht mich an: »Ein Irak, ein Gesetz! Ohne Visum, ohne Einreisestempel geht es nicht.« Soweit die Theorie. Stimmte die, würde ich nicht mit leerem Paß vor ihm stehen.

Ich bin mir absolut sicher: Auch er weiß, daß an der türkisch-irakischen Grenze kein Visum verlangt und nicht gestempelt wurde. Inzwischen vielleicht, aber nicht im März 2005, als ich eingereist bin. Doch um den Schein von der irakischen Einheit zu wahren und weil er sich als Beamter der Zentralregierung über die Eigenmacht der Kurden ärgert, muß ich zappeln und mir mit »Deportation nach Erbil« drohen lassen. Ich frage, ob ich telefonieren dürfe. Ich will versuchen, Hiwa zu erreichen, vielleicht kann die rechte Hand des Präsidenten ein gutes Wort für mich einlegen. »Bitte«, sagt der Beamte. Ich hole mein Handy heraus: kein Empfang. Blöd, das hatte ich ganz vergessen: Bagdad ist *Iraquna*-Zone, keine Chance hier mit *Asia Cell*, der Mobiltelefongesellschaft aus dem Norden. Soviel zur Einheit Iraks. Der Beamte grinst penetrant. Dann klingelt sein Telefon. Ich habe nie erfahren, wer damals angerufen hat, doch als der Beamte auflegt, sagt er: »Sie können gehen. Aber beim nächstenmal halten Sie sich an die vorgeschriebene Prozedur.«

Meine Mitreisenden für den Weiterflug nach Amman warten schon, und gemeinsam müssen wir noch länger warten. Der Luftraum über Bagdad ist gesperrt wegen »feindlicher Aktivitäten«. Als wir endlich starten dürfen, meint der Pilot: »Wir entschuldigen uns für die Verspätung aufgrund von Kampfhandlungen rund um den Flughafen. Uns wurde jedoch zugesichert, daß jetzt alles in Ordnung sei.« Er schraubt uns wieder in den Himmel, tief in der Nacht landen wir in Amman.

Als ich eine Woche später wieder in Erbil ankomme und Akram mich mit seinem orange-weißen Taxi am Flughafen abholt, habe ich zum erstenmal im fernen Kurdistan das Gefühl, nach Hause zu kommen. Das ist jetzt mein Zuhause, denke ich auf der Fahrt durch die Berge nach Suleimania, ein anderes besitze ich derzeit nicht. Meine Bücher und meine Möbel stehen noch in einer Wohnung in Hamburg und finden dort auch bis auf weiteres Asyl. Aber das Leben, das zu dieser Wohnung gehörte, gibt es nicht mehr. Wir haben es in einer kleinen Bambushütte am Strand von Basata zurückgelassen, nach Tagen, die traurig, aber immer wieder auch heiter waren, auf fast absurde Art schön. Dann Abschied im Morgengrauen in Amman, da sein Flug nach Deutschland und mein Flug in den Irak von zwei verschiedenen Flughäfen starteten.

Als ich am Gate saß, mußte ich an meine Eltern denken, sie haben dieses Jahr ihren 52. Hochzeitstag gefeiert. Auch wenn ihre Rollenverteilung sehr traditionell gewesen ist – Vater verdiente das Geld, Mutter zog die vier Töchter groß –, haben sie nie Zweifel daran gelassen, für wie wichtig sie Bildung und Ausbildung halten. »Du willst doch jetzt nicht heiraten«, fragte mein Vater besorgt, als ich vor zehn Jahren mit meinem Freund die erste gemeinsame Wohnung bezog. Und nie werde ich vergessen, wie entgeistert meine Mutter guckte, als vor über 20 Jahren, ich war noch ein Teenager, die Mutter einer Freundin von mir aus dem Reitstall fragte, wofür ich denn Abitur machen und studieren wolle. »Mädchen heiraten doch sowieso, und dann kümmert sich der Mann.«

Ist es nicht ein schöner Start in mein neues Leben, wenn ich in den nächsten Monaten der einen oder anderen Frau durch Ausbildung mehr Unabhängigkeit bringen kann?

»Suleimania hoscha?« fragt Akram, als wir die Stadtgrenze passieren. Das macht er jedesmal, wenn ich von einer Reise zurückkehre. Er selbst hat Kurdistan noch nie verlassen. Und will von mir wohl irgendwie wissen, daß er nicht viel versäumt draußen in der Welt. *»Suleimania hoscha«*, versichere ich ihm – und in dem Moment scheint mir die Stadt wirklich schön.

Allah und die wilden Tiere

Jedes Haus hat seine Geräusche. Die eigentümlichsten unserer Villa sind für meine Ohren zwei: das leise »Klackkk« in den Leitungen, wenn der staatliche Strom zurückkommt oder unser Generator eingeschaltet wird, und das harte, rhythmische »Rumms-Rumms« von Jessicas Fersen, wenn sie von ihrem Zimmer ins Bad oder von der Küche ins Wohnzimmer läuft.

Liege ich morgens im Bett und höre das »Klackkk«, weiß ich: neun Uhr, höchste Zeit aufzustehen. Denn immer morgens um neun schaltet einer unserer Wachmänner den Generator ein, jenes Ungetüm hinterm Haus, das viel Lärm und nebenbei auch aus Diesel Strom erzeugt. Strom vom Elektrizitätswerk gibt es nur abends von sieben bis Mitternacht.

Liege ich morgens im Bett und vernehme nach dem ersten »Rumms« im Flur ein Atmen, das mehr wie ein Schnauben klingt, ahne ich: Dies wird einer jener Tage, an denen Jessica mit Vorsicht zu begegnen ist. An denen sie mir vorwirft, ich behandele sie wie eine Prinzessin auf der Erbse, und ich ihr, daß sie sich wie eine benehme. An solchen Morgenden ziehe ich mir erst noch einmal die Decke über den Kopf. Der Tag in Gesellschaft beginnt noch früh genug.

Im großen und ganzen verstehen wir uns sehr gut. Vor allem gemessen daran, wie wenig Möglichkeit es gibt, sich aus dem Weg zu gehen.

Unsere Zimmer liegen einander gegenüber auf demselben Flur. Springt Jessicas Klimaanlage an, geht meine aus und umgekehrt, da die Stromspannung nicht für beide reicht. Entweder muß sie also schwitzen oder ich. Trödelt sie zu lange unter der heißen Dusche, bleibt mir nur kaltes Wasser und umgekehrt. Der Stoff, aus dem WG-Alpträume sind.

Wir arbeiten zusammen, wir kochen in derselben Küche, wir sitzen abends auf einem Sofa vor einem Fernseher, wir haben nahezu dieselben Freunde, ohnehin kaum eine Handvoll. Und seit jüngstem bin ich auch noch Jessicas Vorgesetzte. Keine leichte Konstellation, selbst wenn wir beide sanftmütig und von nachgiebiger Natur wären. Preisverdächtig in Sachen Kompromißbereitschaft aber ist weder sie noch ich. Zwei Frauen, zwei sehr eigene Köpfe.

Die neue Gesellschaft im Haus kommt uns daher sehr gelegen. Ayub und Mariwan richten sich im obersten Stockwerk ein, Ayub im großen Zimmer, einst von Shannon bewohnt, Mariwan im kleineren, das zuvor Ava gehörte. Dort oben haben sie ihr eigenes Bad und im Prinzip sogar einen eigenen Zugang zum Haus, da von der Terrasse eine Treppe in den Garten führt; die ist allerdings aus Eisen und so wakkelig, daß wir sie eher als Notausgang betrachten. Auf diesem Weg hatte wohl Ava das Haus verlassen, wenn sie sich heimlich mit Hiwa traf.

Die Umwandlung der Frauen-WG in ein gemischtes Doppel läuft erstaunlich geräuschlos ab. Fast kommen mir unsere Wachen, unsere Nachbarn entspannter vor, seit Ayub und Mariwan im Haus wohnen. Schauen sie wirklich weniger indigniert, wenn Freunde uns besuchen oder wir von einem Abendessen ausnahmsweise spät nach Hause kommen, oder bilde ich mir das ein? Verstehe einer die Kurden! Hätte ja auch zum Skandal gereichen können: Zwei Männer und zwei Frauen, alle unverheiratet, wohnen unter einem Dach. Vermutlich ist das Vertrauen in die beiden jungen Kurden einfach größer als das in uns: Von außen betrachtet sind wir Frauen unter männliche Aufsicht gestellt. Wie es sich ziemt. Vom kleinen Schönheitsfehler abgesehen, daß ich ihre Chefin bin, nicht umgekehrt.

Alles in allem ein spannendes Experiment, dessen Dimension wir nicht überschauen. Ich jedenfalls ahnte nicht, wieviel ich durch das Multi-Kulti-Wohnen lernen würde – über mich und meinen Blick auf die Welt, über die Reichweite und mehr noch über die Grenzen meiner Toleranz.

Das Dominanzgerangel um die Leitkultur beginnt in der Küche. Mit einer so einfachen Sache wie Reis. Nach kurdischer Sitte wird Reis nur kurz gekocht und dann in Öl gebraten. So machen es alle Kurden, und so halten es auch Ayub und Mariwan. »Reis und Öl haben nichts im selben Topf verloren«, beharrt hingegen Jessica. »Wieso eßt ihr nur alles immer so triefend fett?«

Das Scharmützel der Eßkulturen geht weiter am Mittagstisch, sobald Ayub die Absenz von Brot bemerkt. »Wir haben doch Reis«, entgegnen wir.

»Eine Mahlzeit ohne Brot ist keine Mahlzeit!« insistiert er und läuft zum Bäcker um die Ecke, warmes Fladenbrot holen.

»Wieso kippst du dir Joghurt über das Gemüse?« fragt Ayub Jessica, als er zurück ist. »Eine Mahlzeit ohne Joghurt ist keine Mahlzeit«, sagt Jessica.

Wir streiten wie Kinder, die beweisen müssen, welcher Sandkuchen der schönste ist. Dann wieder sind wir einfach nur neugierig auf die Welt der anderen. Sie lieben meine Lasagne, ich esse zum erstenmal in meinem Leben gern Okraschoten, Ayubs Leibgericht. Wir alle kochen zunehmend ohne Fleisch, Jessica zuliebe. Und an besonders guten Tagen erfinden wir kurdisch-deutsche, jüdisch-islamische, amerikanisch-kurdische Fusionsgerichte.

Den kurdischen Brauch, auf dem Boden zu essen, übernehmen Jessica und ich widerstandslos; weil wir außer auf dem Balkon sowieso keinen richtigen Eßtisch haben, und weil es gesellig ist und auch bequem. Das Teekochen nach jedem Essen überlassen wir gern Mariwan: Dem Sohn eines Teehausbesitzers einen überzeugenden Tee zu bereiten scheint uns aussichtslos.

Ebenso aussichtslos wie der Versuch, zwei des Englischen mächtige Kurden zu überzeugen, in unserer Gegenwart englisch zu reden. Als gäbe es ein ehernes Gesetz: Sitzt mehr als ein Kurde im Raum, wird kurdisch geredet, und zwar fast ausschließlich. »*English, please*!« intervenieren wir immer wieder, denn das Englisch der beiden ist ja, anders als unser Kurdisch, ausgezeichnet.

Drei Sätze lang geht es gut, dann fallen sie wieder in ihre Muttersprache. Ein Reflex der Selbstbehauptung eines lange unterdrückten Volks? Oder einfach nur Stieseligkeit? Egal, was es ist – es ist nicht zu ändern. Und auch keine Marotte der beiden; dem Phänomen begegnen wir im ganzen Land, in jedem Haus, in allen Schichten, unabhängig von

Sprachtalent, Auslandserfahrung und Bildungsniveau: Kurden sprechen miteinander kurdisch. Es bleibt nichts übrig, als uns damit abzufinden.

Der Sommer beginnt abrupt und früh in Suleimania, die Tage flirren schon im Mai. Im Juni fällt das Thermometer kaum noch unter 30 Grad. Als auch die Nächte immer heißer werden, schlafen Ayub und Mariwan auf dem Dach. Bis weit nach Mitternacht sitzen wir mit ihnen draußen, weil auch unsere Zimmer sich temperaturmäßig den Tropen nähern. Unterm Sternenhimmel hören wir bei frischem Minztee und Wasserpfeife die Geschichten von Ayub und Mariwan. Bevor Satellitenschüsseln auch die letzten Bergdörfer eroberten, wurde in Kurdistan viel erzählt; in großen Runden saßen die Menschen in und vor ihren Häusern und reichten Geschichten weiter, meist von Alt an Jung: Berichte von Helden und verwegenen Kriegern, Familienmythen, Liebesdramen.

Wir hören, wie Ayub sich in der Hafenstadt Um-Qasr im tiefsten Südirak auf das Schiff nach Griechenland geschmuggelt und tagelang im Frachtraum versteckt hat, zitternd vor Angst, jemand könnte ihn entdecken. Erfahren von Mariwans kurzer Karriere als *spotter*, als Terroristenspäher für die *Special Forces* der US-Armee.

Die *spotter* eruierten am Boden die Position der Gegner, funkten sie ans Militär und mußten dann zügig das Weite suchen, bevor die Bomben fielen. Mariwan und ein paar seiner Freunde waren, weil des Englischen kundig, von den Amerikanern angeheuert worden, um sie und die *Peschmerga*, die kurdischen Soldaten, zu begleiten.

Einen Tag lang machte er mit bei der Jagd auf die Kämpfer von *Ansar al-Islam*, dann beschloß er: »Diese Arbeit ist nichts für mich.« Weil sie sehr gefährlich war, vor allem aber, weil die Amerikaner ihm nichts zu essen gaben. »Stellt euch vor, wir sind den ganzen Tag mit denen durch die Berge gelaufen, es gab Explosionen, es wurde geschossen, und als wir abends Lager machten, sagten sie: Wir haben für euch nichts, geht zu den *Peschmerga*, die sollen euch verpflegen.«

Ich mag die Nächte auf dem Dach. Hoch über der Stadt in der Dunkelheit scheinen alle irakischen Tragödien weit weg. Entrücken wir jener immer bizarrer anmutenden Wirklichkeit, in der schon ein modischer Kurzhaarschnitt oder eine Glattrasur das Leben kosten können, weil selbsternannte Gotteskrieger sie »unislamisch« nennen und neuerdings Jagd auf unbeugsame Friseure machen. Wo sich das Gefühl, Tote auf Abruf zu sein, immer tiefer in die irakischen Seelen einnistet. In den Sommernächten auf dem Dach kommt die Villa am Rande des Wahnsinns zur Ruhe, wenigstens ein paar gestohlene Stunden lang.

Die Abende sind schon deshalb gnädig leise, weil es Strom gibt und nicht überall die Generatoren dröhnen. Vor dem Haus spielen die Jungs von gegenüber noch zu später Stunde Fußball, auf dem Dachgarten nebenan sitzt ein Ehepaar stumm in seiner Hollywoodschaukel, und ich merke, wie sich im Schwummer der Wasserpfeife das Gefühl »wir hier« und »die dort« wenigstens vorübergehend verflüchtigt.

An einem der nächsten Morgende kommt Dana zu mir, eine Mischung aus Staunen und Mißbilligung im Blick. »Hast du Ayubs Zimmer gesehen?« Ich schüttele den Kopf. Er hat mich bislang nicht hineingebeten, und da ich selbst keine ungefragten Gäste in meinem Zimmer wünsche, dränge ich nicht darauf. Ein paar Quadratmeter Refugium brauchen wir alle. Heute aber wird in Ayubs Zimmer die Klimaanlage gegen einen weniger Strom fressenden *Aircooler* getauscht, deshalb mußte Dana hinein. »Also, *ich* bekäme in so einem Zimmer Alpträume!« Jetzt schlägt Neugier Diskretion: Alpträume? Hat Ayub sich eine Sado-Maso-Kammer eingerichtet? Die Wände schwarz angemalt? Oder alles mit rosa Tüll ausgelegt und häßliche Leuchter aufgestellt? *Kitsch can kill* – obwohl Dana nicht den Anschein eines ästhetisch empfindsamen Gemüts macht. Ein bodenständiger Kurde mit Frau und zwei Kindern und ausgeprägtem Sinn fürs Praktische: Was in Ayubs Zimmer hat ihn so entsetzt? »Das ganze Zimmer hängt voll mit wilden Tieren! Löwen, Geparden, Tiger, Elefanten, alle starren sie dich an, ich kam mir wie im Dschungel vor.« Ich lache und beschließe, doch einmal einen Blick in den Zoo im obersten Stock zu werfen, sobald sich eine Gelegenheit bietet.

Aus Ayub schlau zu werden ist nicht leicht, wenn nicht gar unmöglich. Wie sollen wir verstehen, wer er ist, wenn er das selbst nicht genau weiß? Ayub wirkt auf mich so verwirrt und verwirrend wie die Bücher, die er liest: erotische Groschenromane neben Koranliteratur, Nabokovs »Lolita« neben CDs von radikalen Sunnitenpredigern, »Brehms Tierleben«, Agatha Christie, Hitlers »Mein Kampf«. Im Fernsehen kann er stundenlang *Animal Planet* oder *Discovery Channel* gucken, dann verschwindet er plötzlich in seinem Zimmer und hört laut eine Koranrezitation.

Noch immer kann ich nicht einschätzen, wie religiös er wirklich ist. Einen Tag ist er heiter und gesellig, am nächsten zieht er sich fast demonstrativ zurück. Ißt er an manchen Abenden nicht mit uns, weil Alkohol auf dem Tisch steht? Absicht oder Koinzidenz? Bisweilen vermittelt er mir den Eindruck, ich hätte ihn verunreinigt, wenn ich ihm die Hand gebe oder ihn versehentlich im Vorbeigehen streife. Dann wieder liegen wir alle gemeinsam stundenlang nächtens auf dem Dach, in der Sommerhitze manchmal auch mit Shorts oder kurzen Ärmeln, wie Jessica und ich sie hier auf der Straße niemals tragen. Jessica, die täglich mit Ayub in den Radiokursen arbeitet und ihn daher besser kennt als ich, nennt sein Schwanken zwischen zwei Geisteshaltungen, zwischen Neugier auf die westliche Welt und ihrer Verteufelung *»to try on Muslim fundamentalism for size«*: mit dem Radikalen liebäugeln, hineinfühlen und -hören, um zu prüfen, ob es zu einem paßt. Daß er mit ihr, der Jüdin aus New York, am meisten Zeit verbringt, fügt sich in seine Widersprüchlichkeit und hindert ihn nicht, ihr gegenüber um so mehr zu zürnen über den »gottlosen Westen«, wo keiner mehr wahren Glauben kenne.

Gleichzeitig träumt er von einem Studium in den USA und plant seine nächsten Reisen. Stolz zeigt er uns Fotos von seiner Indienreise: Ayub vor Taj Mahal, Ayub in Kaschmir, Ayub reitet einen Elefanten. Wohin als nächstes? Wenn er sich nur entscheiden könnte: Malaysia, Thailand, Vietnam? Oder doch lieber nach Kenia und Namibia – wegen der wilden Tiere.

HERBST

Der Teufel wohnt im Salat

Nach dem Sommer zu viert bringt der Herbst unserer WG drei Neuzugänge: einen charmanten jungen Mann für die kleine Villa zwei, die Nachfolgerin von Gina für den Frauenflur und einen Gast eher privater Natur, der später im Jahr zuweilen bei mir übernachten wird. Mit fünf Frauen aus fünf Ländern haben wir im April 2005 begonnen. Nun gehen vier Männer und drei Frauen im Haus ein und aus, die Männer allesamt Iraker, die Frauen aus Deutschland und den USA.

Doch der Reihe nach. Zuerst zieht Emad ein in die Villa zwei und mit ihm eine neue Religion und ein neuer Ton.

»Yes, Mam!« erwidert er, wann immer ich ihn anspreche, so zackig, daß ich fast die Hacken zusammenschlage. Er ruft *»What's up?«* und *»Hey, cool, man«*, trägt ein T-Shirt der *Red Raiders* aus Texas und spricht immer respektvoll von den *»Coalition forces«*. Bevor er bei uns als Arabischübersetzer anfing, hat er in Mosul für die US-Armee gedolmetscht. Bis er die Angst in den Augen seiner Mutter nicht mehr ertrug. »Junge, such dir einen anderen Job!« hatte sie ihn täglich angefleht; in Mosul für das amerikanische Militär zu arbeiten ist Russisch Roulette mit mehr als einer Kugel im Lauf.

Ich bin überzeugt: Wenn wir nur den militärischen Habitus deprogrammieren, gewinnen wir mit Emad einen liebenswerten wie heiteren Freund und einen flinken Übersetzer. Und wir können eine irakische Mutter glücklich machen! Wofür sie sich bei uns nach Art irakischer Mütter bedankt: kochend. Nach jedem Besuch zu Hause kehrt Emad beladen mit Köstlichkeiten in Mengen für eine Großfamilie zurück.

Nicht nur unser Speiseplan wird vielfältiger: Mit Emad zieht ein uns bislang unbekanntes Stück Irak ins Haus. Er stammt aus der Kleinstadt Baschika, rund 30 Kilometer östlich von Mosul, und gehört zur Minderheit der Yesiden. Von denen lebt nach eigenen Schätzungen knapp ein halbe Million im Nordirak; Anhänger einer uralten Religion, die Traditionen aus dem Kult der Zoroastrier mit jüdischen, christlichen, islamischen und heidnischen Elementen vereint. Keineswegs aber beten sie, wie in Karl Mays »Durchs wilde Kurdistan« beschrieben, den Teufel an. Yesiden glauben an einen Gott und sieben Engel, die das Universum vor dunklen Kräften beschützen, sowie an die Reinkarnation, und sie beten in Tempeln, deren faltige Kuppeln wie riesenhafte versteinerte Zitronenpressen in den Himmel ragen.

Gleich beim Vorstellungsgespräch offenbart mir Emad:

»Ich bin kein Muslim, ich hoffe, das ist kein Problem?« Ein Yesidi! Vielleicht finden wir ja irgendwo im Irak noch einen Buddhisten, dann können wir uns »Das Haus der Religionen« nennen.

Vor ein paar Tagen erst hat mir ein Student aus dem sunnitischen Dreieck anvertraut, er sei zum Schiitentum übergetreten, die Sunniten finde er mittlerweile zu extrem. Davon höre ich zum erstenmal: Sunniten, die Schiiten werden? Wen ich auch danach frage, überall die gleiche Antwort: unmöglich. Im Irak scheint mit der Welt der Menschen auch die der Götter gründlich durcheinandergeraten. Andererseits: Wenn ein Muslim sich morgens in der Dusche zum Christen tauft, warum soll dann nicht ein Sunnit beschließen, künftig nach Art der Schiiten zu glauben? Immerhin bleibt er beim selben Buch. Seinen Nachbarn aber sollte er von diesem Wandel besser nichts erzählen.

»Nein, deine Religion ist kein Problem«, versichere ich Emad, »im Gegenteil: je verschiedener, desto spannender. Willkommen in der Villa am Rande des Wahnsinns!«

Wie sieht die Arbeitswoche einer multireligiösen Bürogemeinschaft aus? Bestünden wir alle auf unserem traditionellen heiligen Tag, blieben uns drei gemeinsame Werktage: Montag, Dienstag und Donnerstag. Yesiden gehen am Mittwoch in den Tempel, Juden samstags in die Synagoge und Muslime freitags in die Moschee. Für mich bleibt, auch ohne Religion, gefühlsmäßig der Sonntag der freie Tag, mehr zum Ruhen als zum Beten.

Konfessionsübergreifend wählen wir den ortsüblichen Freitag, schließlich sind die Muslime in der Mehrheit, und so liegen wir auch im Gleichklang mit unseren Studenten. Von denen gehen die männlichen freitags tatsächlich fast alle in die Moschee. Drei davon liegen so nah bei unserem Haus, daß die Muezzine sich regelmäßig akustisch ins Gehege kommen: Das *Allahu akbar* des einen geht im *La Allaha illal-*

lah des anderen unter. Aber die Gläubigen wissen ja auch so, daß Gott groß ist und es keinen Gott außer ihm gibt.

Den Sabbat zu feiern vermißt Jessica nicht, sie hat ihn auch in New York kaum je zelebriert. »Ich bin eine Kulturjüdin«, sagt sie immer, »Tradition und Rituale bedeuten mir mehr als das Gebet.«

Emad erfährt eher zufällig von Jessicas Judentum, bei einem unserer gemeinsamen Abendessen. Wir sitzen auf der gelben Couch und prosten uns zu. Yesiden dürfen, anders als Muslime, ganz offiziell Alkohol trinken. *»Le Chaim!«* sagt Jessica und hebt ihr Weinglas, wir sind mit dem hebräischen Trinkspruch ja inzwischen alle vertraut. Fast alle.

»*Le Chaim*, das war aber kein Englisch?« fragt Emad.

»Nein, das ist ein jüdischer Toast und heißt ›auf das Leben‹«, erklärt Jessica.

Emad ist völlig aus dem Häuschen. »Du bist Jüdin? Wirklich? Du veräppelst mich nicht?« Er staunt, als säße vor ihm ein Wesen von einem anderen Stern. »Du bist die erste Jüdin, die ich in meinem Leben treffe. Das ist phantastisch, du bist leibhaftig hier im Irak, in meinem Land, wie aufregend!« Den Rest des Abends bestürmt er sie mit Fragen, will jüdische Gebete hören, von jüdischen Bräuchen wissen, und immerzu bittet er sie, »Sag doch noch mal was auf jüdisch«. Jessica ist gerührt. »Weißt du, ursprünglich wollte ich niemandem im Irak erzählen, daß ich jüdisch bin. Aber ich habe es nicht durchgehalten, ich konnte mich nicht verleugnen.«

»Hmm, in heiklen Situationen machen wir Yesiden das auch. *Taqiya* heißt das bei uns: Wenn wir in Gefahr sind, dürfen wir unseren Glauben verleugnen, ohne uns vor unserem Gott schuldig zu machen.«

»Eines habt ihr auf jeden Fall gemeinsam: Nach Falludscha solltet ihr beide nicht fahren«, sage ich. Auch wenn Emad Iraker ist: Bei den Radikalinterpreten des Islams, die sich in einigen zentralirakischen Provinzen als Alleinbevollmächtige des Glaubens sehen, gelten Yesiden als Ungläubige, Vogelfreie also, die man straflos töten darf.

»Möchtest du etwas Salat? Echt jüdisch, hat Jessie gemacht!« Emad wehrt verlegen ab. »Yesiden dürfen keinen Salat essen.« Verwundert schauen wir ihn an: »Keinen Salat? Wirklich nicht?« Wir müssen kichern. »Entschuldigung, wir machen uns natürlich nicht über dich lustig«, versichern wir ihm schnell, »aber ausgerechnet Salat, was kann *haram* sein an einem unschuldigen grünen Salat?« Emad muß selber lachen. »Genau weiß ich es ehrlich gesagt auch nicht. Ich glaube, unserer Vorstellung nach wohnt im Salat der Teufel.«

Als Raupe? Ist nicht ein Vogel, der *Melek Taus*, der »Engel Pfau«, die zentrale Gestalt im Glaubenskosmos der Yesiden? Gibt es da einen Zusammenhang? Doch über den göttlichen Vogel will Emad nicht reden, nicht jetzt. »Oder fändet ihr es nicht seltsam, in Zeiten der Vogelgrippe einen Pfau anzubeten?«

Im Vielvölkergemisch des Iraks werden die Yesiden meist zu den Kurden gezählt. Emad aber spricht kein Wort Kurdisch; seine Muttersprache ist Arabisch, deshalb habe ich ihn eingestellt. Nur die wenigsten angehenden Journalisten sprechen Englisch, und da sie später im Irak arbeiten sollen, möchten wir das auch nicht verlangen. Also unterrichten wir auf arabisch und kurdisch, mit Hilfe unseres Dolmetscherteams. Ihre Artikel schreiben die Studenten ebenfalls auf arabisch oder kurdisch, und wir übersetzen sie. Ein aufwendiger, aber auch ergiebiger Prozeß, der wöchentlich einen dreisprachigen Newsletter ergibt mit Reportagen aus dem ganzen Land: für unsere Studenten eine wichtige Übungsplattform und für die Weltöffentlichkeit eine authentische Quelle für Informationen aus dem Irak.

Bevor wir die Reportagen auf der Internetseite von *IWPR* veröffentlichen, müssen wir sie redigieren; jenseits des Klassenzimmers ähnelt unsere Arbeit daher der in einer Zeitungsredaktion. Die englischen Texte hat Gina bearbeitet, bis im Juli 2005 das *Wall Street Journal* sie als Korrespondentin für die amerikanische Automobilindustrie heuerte.

So kommt Tiare aus Hawaii zu uns.

»Hawaii«, fragen unsere Studenten, »wo liegt denn das? Gehört das noch zu den USA?« Für sie ist es immer wieder erstaunlich, aus welchen Ecken der Welt es uns in den Irak verschlägt. Der Nahe Osten ist Tiare allerdings nicht unbekannt: Sie reist an mit einem Diplom in Islamwissenschaft und drei Jahren Beirut-Erfahrung, wo sie für den *Daily Star* gearbeitet hat, eine renommierte englischsprachige Tageszeitung. Und obwohl sie von so weit herkommt, kennen sie und Jessica sich sogar flüchtig, aus New York, wo beide studiert haben und sich vor Jahren bei irgendeinem Journalistenstipendium über den Weg gelaufen sind. Nun treffen sie sich wieder, im Irak.

Tiare zieht in Ginas altes Zimmer ein, das neben Jessicas Zimmer liegt und gegenüber von meinem. Wirklich benutzen wird sie das Zimmer eher selten – aber das ahnen am Tag ihrer Ankunft natürlich weder sie noch wir.

Doch ich will der Reihe nach erzählen. Zwei Tage bevor Tiare ankam, habe ich mich verliebt.

Der Tag, der alles ändert, beginnt mit einem Telefonanruf. Ein deutscher Kunstprofessor, er hat meine Nummer von einer gemeinsamen Bekannten, weilt für ein Gastseminar ein paar Tage in Suleimania. Er lädt mich ein zu einem Vortrag mit anschließendem Abendessen mit kurdischen Künstlern.

Ausgehen? Große Lust habe ich nicht. Mein Bedürfnis nach Aushäusigkeit kommt und geht in Wellen, manchmal verstreichen Wochen, ohne daß ich das Haus verlasse, ein Verhalten, das mir in Deutschland völlig fremd war. Dann wieder kriege ich den WG-Koller und muß raus, unter Menschen. Der Anruf des Professors erwischt mich exakt in der Talsohle zwischen zwei Wellen. Meine Motivation, vor die Tür zu gehen: *zero*. Wozu? Für das ewig gleiche Essen, die ständig gleichen Männerrunden?

Im Schwimmbad, am Frauentag, hatte ich vor ein paar Tagen erst vergegenwärtigt, wie sehr ich die Präsenz von Frauen im öffentlichen Leben vermisse. Die kichernden Mädchen, die plaudernden Frauen erinnerten mich an eine Welt, von der mir gar nicht bewußt war, wie sehr sie mir fehlt. Schön war die Atmosphäre im Schwimmbad, intim, heiter, unbeschwert. In der Sauna berührten die jungen Mädchen neugierig mein Haar: Fühlt sich blondes Haar anders an? Die älteren Frauen verwickelten mich gleich in Gespräche: Woher ich käme, was ich hier machte, wie mir Kurdistan gefalle. Alle wirkten entspannt, ohne Scheu. Unter sich waren die Frauen heiter und unbefangen, legten ungeniert ihre Kleider ab, alberten herum, lachten laut.

Wie lange hatte ich, außer bei uns im Haus, kein lautes Frauenlachen mehr gehört?

Auf der Straße gucken die meisten Frauen sehr ernst. Vermutlich weil es als ungehörig gilt, wenn eine Frau öffentlich laut lacht, wie Jessica vor kurzem lernen mußte. Sie ging mit unserem Freund Kawan, dem aus Schweden zurückgekehrten IT-Experten, zum Chinesen im Hotel Ashti und lachte auf dem Weg vom Auto zum Restaurant herzhaft und laut, weil es mit Kawan immer viel zu lachen gibt. Einer der wachhabenden Soldaten vor dem Hotel hielt ihnen die Tür auf und sagte dabei etwas auf kurdisch, das Kawan Jessica erst Tage später übersetzte, so unangenehm war es ihm: »Die ist wohl geil und muß gevögelt werden.« Unsere ohnehin geringe Lust auszugehen erreichte einen neuen Tiefpunkt.

Ich überlege. Der Vortrag eines deutschen Professors, ein

Abendessen mit Künstlern, wie oft bietet sich in Suleimania solche Abwechslung? Unser Nachbar gibt meinem inneren Schweinehund den letzten Tritt: Er schaltet seinen Generator ein. Mein Haßobjekt. Das Monster steht auf der anderen Straßenseite, genau gegenüber von meinem Zimmer, ein Modell der älteren Generation, das klingt wie ein Preßlufthammer. Und wer wohnt schon gern vis-à-vis einer permanenten Baustelle? In der Not greife ich meist zu Gegenbeschallung und drehe Mozarts Requiem auf, bis das Dröhnen von gegenüber nicht mehr zu hören ist. Das ist zwar auch laut, aber lieber taub durch Mozart als durch den Dieselmotor meines Nachbarn.

Heute aber ergreife ich die Flucht. Ich habe eine Einladung. Zu einem Kultur-Event!

Der Professor zeigt Kunstvideos, die mich an Szenen aus dem Thriller *Fargo* erinnern; eine Figur läuft durch endlose weiße Landschaft, tatsächlich sehe ich aber wohl keinen Schnee, sondern eine Salzwüste. Geht es um Perspektiven? Sinnestäuschung? Raum und Weite? Ich habe den Anfang der Vorlesung verpaßt, finde nicht mehr ins Thema hinein und spiele mit der Versuchung des heimischen Sofas, da beginnt der allgemeine Aufbruch. »Sie sind Frau Fischer, nicht wahr, wie nett, Sie zu sehen«, begrüßt mich der Professor herzlich, »Sie kommen doch mit zum Essen?« Er verteilt uns auf verschiedene Autos, »Fahren Sie am besten mit Niaz, darf ich Sie vorstellen, ein sehr talentierter kurdischer Designer, erst vor kurzem aus Dänemark zurückgekehrt.« Der Professor schiebt mich einem in helles Leinen gekleideten Mann mit schulterlangem schwarzen Haar entgegen, der überhaupt nicht aussieht wie ein Kurde. Groß, schlank, kein Bart, sehr elegant, sieh mal an, so was gibt es hier also auch. Obwohl ich in Kurdistan ständig und überall fast nur Männer sehe, war mir bislang nicht ein einziger als Mann aufgefallen. Das hat sich soeben geändert.

Im Auto läuft Musik von Dariush. »Warst du mal im Iran?« frage ich Niaz. »Hmm, öfter schon«, er sieht mich im Rückspiegel an, sagt aber nicht mehr dazu. Dann biegt er falsch ab. »Weißt du überhaupt, wo wir langmüssen?« Weiß er nicht, sowenig wie die anderen. Obwohl ortsfremd, bin ich die einzige im Auto, die den Weg zum Restaurant kennt. Zum »Revan« finde ich im Schlaf; wenn wir überhaupt noch ausgehen, dann in dieses Gartenlokal mit türkisch-kurdischer Küche, einer nur für Kenner oder Verzweifelte unterscheidbaren Variation der kurdischen Küche.

Vor dem Eingang lungert ein Dutzend schwerbewaffneter *Peschmerga*. »Oh. Darf ich fragen, wer zu diesem Abendessen geladen hat?« »Mala Baktiar«, klärt mich einer der Künstler auf, »ein hohes Tier in der PUK und Vater der Schwiegertochter von Talabani.«

Bloß heim auf die Couch, denke ich zum zweitenmal an diesem Abend. Dinner mit einem, der ein Dutzend Rambos vorm Lokal plazieren muß – keine gute Idee im Irak. »Abstand zu den großen Tieren!« ist eine der wenigen Sicherheitsmaximen, denen ich selbst im relativ sicheren Kurdistan folge. Nicht zu Unrecht. Vier Wochen nach unserem Abendessen, am 26. Oktober 2005, wird in Suleimania der erste Selbstmordanschlag verübt werden. Ziel der drei mit Sprengstoff vollgepackten Autos, die im Abstand von fünf Minuten explodieren und die Stadt für einen halben Tag ins Chaos stürzen: Mala Baktiar. Zehn Menschen und die Illusion von der friedvollen Insel im Meer der Gewalt sterben, Mala Baktiar selbst kommt mit dem Schrecken und einem Kratzer davon.

Wenn ich jetzt gehe, überlege ich im Schatten der Rambos am Restauranteingang: Wie und wann sehe ich dann diesen interessanten kurdisch-dänischen Designer wieder? Kopf und Bauch treten an zum Duell.

Ich bleibe.

Wie zufällig kommen wir am selben Ende der sehr langen Tafel zu sitzen, Niaz gleich neben Mala Baktiar, ich den beiden gegenüber. Zu meiner Linken sitzt Sami, ein Künstler aus Suleimania, der schon einmal in Deutschland ausgestellt hat. Wortreich beschreibt er mir sein neuestes Werk, eine Fotoserie über die Konsequenzen der *Beschkas*.

»Du weißt, was *Beschkas* sind?«

»Nein.« Ich versuche, interessiert zu wirken, obwohl mindestens die Hälfte meiner Nervenzellen auf die Konversation auf der anderen Tischseite ausgerichtet ist. Zu dumm, daß die auf kurdisch läuft. Worüber reden die wohl so angeregt? »Nein, was sind die *Beschkas*?«

»Traditionelle kurdische Kinderbetten, eine Art Wiege aus Holz, in der die Babys im ersten Lebensjahr liegen. Oder besser gesagt, liegen müssen, denn sie werden festgebunden.«

»Festgebunden?« Ich horche auf.

»Ja, damit sie nicht schreien. Wenn Babys von Anfang an im Liegen festgezurrt werden, gewöhnen sie sich daran und bleiben ganz ruhig. Die Mutter kann dann ungestört ihre Hausarbeit erledigen.«

»Festbinden – das ist doch bestimmt ungesund.«

»Wir haben es alle überlebt. Aber wegen der *Beschkas* haben wir Kurden einen so flachen Hinterkopf«, er dreht sich um und zeigt mir seinen rückwärtigen Schädel, der in der Tat flach ist wie ein Brett. Dann hält er mir eine Fototafel aus seiner Serie hin, und nun macht das Bild plötzlich Sinn: Sami hat mehrere Kurden im Profil fotografiert und die flachen Stellen an den Köpfen mit Leuchtfarbe markiert. Der Effekt: Die Hinterköpfe wirken wie nach einer einzigen Vorlage modelliert, der Kurde vom Reißbrett sozusagen.

Wieso ist mir das nie aufgefallen? Fortan schaue ich den Kurden ständig auf den Hinterkopf und frage mich, wie mir

Seit März 2005 lebt die Journalistin Susanne Fischer (oben) im nordirakischen Suleimania (unten), weit weg vom Alltag zu Hause, um beim Aufbau einer freien Presse zu helfen. Anders als im Rest des Landes kann sie sich dort relativ frei bewegen – und sogar den Bazar besuchen.

So ausgelassen wie die beiden Frauen bei der Schneeball-schlacht sieht man Kurdinnen selten in der Öffentlichkeit.

Khanakiner Familienküche: Die Mutter ihres Freundes Niaz zeigt Susanne die Zubereitung gefüllter Weinblätter.

Schnee im Irak? In Suleimania wird es winters richtig kalt – wie Susanne und Niaz auf dem Hausberg der Stadt merken. Wenn sie zusammen unterwegs sind, werden sie oft beide für Ausländer gehalten – bis er akzentfrei Kurdisch spricht.

Wenn sie aus ihrem Fenster in Suleimania blickt, erinnert die rote Leuchtreklame Susanne Fischer an eine heute für sie verbotene Stadt: Bagdad. Erlaubt sind indes Ausflüge wie an den Stausee von Dokan. Ihr Lieblingsplatz, um dem Leben am Rande des Wahnsinns für ein paar Stunden zu entfliehen.

dieses markante Merkmal hat entgehen können. »Klar«, grinst Kawan, als ich ihm später davon erzähle; als Kurde mit europäischer Erziehung ist er für mich eine wichtige Instanz, wenn ich etwas nicht glauben kann oder nicht verstehe. »Deshalb nennt man die Kurden doch auch die *flat heads* – noch nie gehört?«

Flachkopf, auf deutsch nicht gerade ein Kompliment. »Aber dein Hinterkopf ist nicht flach.«

»Nein, ich hatte Glück. Meine Eltern gehörten bereits zu einer aufgeklärteren Generation. Heute machen das auch nur noch wenige Familien, am ehesten die in den Dörfern.«

»Aber es gibt die *Beschkas* noch?«

»Ja, die gibt es noch.«

Ich muß an die vielen Zeitschriften und Ratgeber für deutsche Eltern denken und stelle mir den nationalen Aufschrei vor, wenn eine Mutter gestünde: Ich binde mein Baby im Bett fest, damit es weniger weint. Wieder einer jener Augenblicke, in denen mir Kurdistan unendlich weit weg erscheint von der Welt, aus der ich komme.

Über die Einführung ins Drama des kurdischen Kindes habe ich ihn kurz aus den Augen verloren, den Mann schräg gegenüber, dem mein wahres Interesse an diesem Abend gilt. Kurzer Kontrollblick: Alles wie gehabt, er ist immer noch intensiv ins Gespräch mit seinem Tischnachbarn vertieft, das einzige Wort, das ich verstehe, ist Khanakin.

Niaz entgeht meine Neugier nicht. »Wir kommen beide aus derselben Stadt, aus Khanakin. Mala Baktiar kennt mich noch aus meiner Zeit als Freiheitskämpfer. Wir haben uns seit über 20 Jahren nicht gesehen, nicht mehr, seit ich in den Iran geflohen bin.«

Mit zwei Sätzen schlägt er ein ganzes Geschichtsbuch auf. Khanakin. Jene Stadt im Süden Kurdistans, die immer zwischen allen Fronten lag: sieben Kilometer von der iranischen Grenze entfernt, außerdem Schnittstelle zwischen dem kurdischen und dem arabischen Irak. Bis April 2003 unter der Knute Saddams, die Stadt gehörte nicht zum privilegierten kurdischen Autonomiegebiet. Freiheitskämpfer. Niaz war also früher *Peschmerga*? Wo und wie lange? In welcher Funktion? Ich kann mir den eleganten Mann mit dem sanften Gesicht nur schwer in Kampfmontur vorstellen, in Pluderhosen und mit Kalaschnikow über der Schulter, beim Marsch durch die kurdischen Berge oder beim Angriff auf eine Einheit der irakischen Armee. Iran. Warum ist er geflohen, und wohin führte von dort sein Weg? In den Irak ist er, das hat der Professor vorhin kurz erwähnt, gerade erst zurückgekehrt. Woher? Dänemark? Wie ist Niaz vom Iran nach Dänemark gekommen, und wie hat sich der Freiheitskämpfer zum Designer gewandelt?

Nach nur drei Sätzen das Gefühl, dieser Mann würde viel zu erzählen haben.

Aber nicht hier, nicht jetzt. Die Dinnerrunde löst sich allmählich auf, wir verteilen uns wieder auf die Autos. Niaz bietet an, mich nach Hause zu fahren. »Aber du mußt den Weg kennen.« Daß ich als Europäerin Suleimania besser kenne als er, scheint ihn zu verwirren, ihm aber auch zu gefallen.

Wir sitzen zu fünft im Auto, diesmal hören wir Fairuz, die große Sängerin des Libanons, und ich grübele nach einem Vorwand, seine Telefonnummer zu erfragen. Leeres Hirn. Als hätte ich nach zwölf Jahren in einer festen Beziehung und einem Jahr in Kurdistan vergessen, wie man so etwas macht.

In solchen Momenten offenbart das Patriarchat ungeahnte Vorteile. In Kurdistan dürfen Frauen die Initiative noch getrost den Männern überlassen. Als ich vor unserer Villa aussteige, ruft Niaz mir durch das offene Fenster die Adresse seiner Webseite hinterher. »Falls du dich für meine Arbeit interessierst …«

Ich schaue mir die Seite an, kaum daß ich in meinem Zimmer sitze. Ich finde eine E-Mail-Adresse. Ich schicke mit klopfendem Herzen meine Telefonnummer. Am nächsten Morgen ruft er an. Dinner morgen abend um acht bei mir auf dem Balkon? schlage ich vor. Mein erstes Date in Kurdistan.

Verliebt in Kurdistan

Kulinarisch betrachtet ging alles schief. Ich kaufte drei verschiedene Sorten Wein – nur um zu hören, daß er niemals Alkohol trinkt. Ich schmorte Tomaten, mit Schafskäse, Kräutern und Knoblauch gefüllt – ahnungslos, daß er allergisch gegen Knoblauch ist. Ich brühte in meiner selbstimportierten Espressokanne feinsten italienischen Espresso – dummerweise erinnert ihn Kaffeegeruch an Beerdigungen, weshalb er ihn nicht mag.

Trotzdem war der Abend zauberhaft.

Niaz kam um acht, er ging um eins, uns beiden kam es vor wie fünf Minuten. Meine Mitbewohner ließen sich ungefragt den ganzen Abend nicht blicken, als ahnten sie, daß es auch im wenig privaten Kurdistan Momente gibt, in denen jeder Dritte stört.

Ich hörte die meiste Zeit einfach nur zu. Was hätte ich im Vergleich auch zu erzählen gehabt? Sicher, nach Ansicht meiner Freunde verlief mein Leben exotisch bis chaotisch: Redakteursstellen bei *Spiegel* und *Brigitte* gekündigt, auf eigene Rechnung nach Bagdad gezogen, dann als Journalistenlehrerin nach Kurdistan. Den Satz »Du bist verrückt!« habe ich mehr als einmal gehört. Doch all diese Entscheidungen lagen in meiner Hand. Ich war es, die meinem Leben diese Richtung gab. Ich hätte jederzeit »Stop!« rufen und beschließen können: Genug der Abenteuer, zurück ins heimelige Deutschland und weiter für die Rente werkeln.

Was dagegen Niaz von seinem Leben erzählte, klang wie eine Reise auf dem Meer des Schicksals. Von stürmischen Winden hier- und dorthin getrieben, ohne viel Einfluß auf Strömung und Großwetterlage, und vom ständig drohenden Tod durch Ertrinken vor allem in einem geschult: der Kunst des Überlebens.

Ich würde noch viele Abende wie diesen brauchen, bevor ich seine Welt nur annähernd vermessen kann. Mit 14 Jahren zum erstenmal vom irakischen Geheimdienst verhaftet und gefoltert, im gleichen Jahr vom kurdischen Widerstand rekrutiert, Jahre des Kampfs, der Auflehnung, der Niederlagen und schließlich der Flucht, in die Rettung und in die Heimatlosigkeit.

Wieviel von alldem konnte ich ahnen, als wir an jenem lauen Herbstabend auf meinem von Sichtblenden geschützten Balkon saßen? Zwei Fremde noch, von einer Laune des Lebens in Suleimania zusammengeführt. Für Niaz grenzte die Begegnung mit mir ans Absurde: »Ich bin zurückgekommen, weil ich vor Europa geflüchtet bin, ich hielt es dort nicht mehr aus – und wen treffe ich hier? Eine Europäerin.«

Am nächsten Morgen muß ich für fünf Tage dienstlich nach Amman. Zeit zum Sortieren der Gedanken. Will ich das, was da beginnt? Noch bin ich einfacher Gast im Land, mit klarem Auftrag und der Gewißheit, in überschaubarer Zeit zurückzukehren in meine Welt. Als Reisende zwischen den Welten fühle ich mich schon jetzt, aber ohne allzu schweres Gepäck und auf jeden Fall mit Rückfahrschein. Ein Leben in Kurdistan sah ich bislang nicht als Option.

Dies ist aber kein Land, wo man sich mal eben so verliebt. Hals über Kopf kann hier Kopf und Kragen kosten. Vermutlich nicht mich als Ausländerin, doch die lokalen Sitten lassen mich nicht unberührt: Wie soll ich angeregt flirten, wo ich in der Zeitung von Ehrenmorden lese?

Wir bewegen uns beide auf ungewohntem Terrain. Wie funktioniert *Dating* in Kurdistan? Noch dazu zwischen einer Europäerin und einem Kurden, der nach 24 Jahren in Dänemark aber auch kein richtiger Kurde mehr ist?

Wären wir uns in Kopenhagen oder Hamburg begegnet, würden wir die Spielregeln kennen. In Kurdistan aber können wir uns nicht einfach benehmen wie Großstadteuropäer. Seine Familie lebt hier, und ich trage die Verantwortung für ein Dutzend Mitarbeiter, die sehr genau verfolgen, was ich tue.

Noch weiß ich nicht, wieviel Kurde in Niaz verblieben ist, wieviel Europa schon in ihm steckt. Seine Herkunft ignorieren? Das geht schon wegen unseres Umfelds nicht. Mit kurdischen Paarungsritualen aber fehlt mir jede Erfahrung. Auf kuriose Art fühle ich mich in meine Zeit als Teenager zurückversetzt, als Männer mir vorkamen wie Wesen von einem anderen Stern und ich keine Ahnung von Raumfahrt hatte.

Koral kommt mir in den Sinn, eine meiner kurdischen Studentinnen. Nie würde sie mit einem Mann ausgehen, über dessen Heiratsabsichten sie im Ungewissen sei. Oh, dachte ich, als sie mir das erzählte: wieder eine Szene aus einem fremden Universum. Bei oder gar vor der ersten Verabredung Heiratsabsichten zu entdecken wäre für mich ein unbedingter Grund zur Flucht. Und wie hatte Tiares Vater, inzwischen in fünfter Ehe glücklich, ihr schon vor Jahren geraten? »Mach nicht denselben Fehler wie ich: Heirate nicht jeden, mit dem du schläfst.«

Für eine Kurdin, sagt Koral, kann schon mehrfaches Ausgehen mit einem Mann, der nicht ihr Verlobter sei, Rufmord bedeuten – und dem Mord am Ruf kann noch immer leicht ein echter folgen.

Dabei geht Koral durchaus ihren eigenen Weg. Sie hat, als Gesandte der kurdischen PUK, anderthalb Jahre in Damaskus gelebt, weshalb sie ausgezeichnet Arabisch spricht und lieber an den Kursen für unsere arabischen Studenten teilnimmt als an denen für die Kurden; so bekomme sie mehr mit vom Rest des Landes. Sie berichtet für eine landesweit sendende Radiostation und für mehrere kurdische Zeitungen. Von allen Frauen, die ich unterrichtet habe, vertritt sie am beharrlichsten ihre Meinung: ob es um kurdischen Nationalismus geht, die Trennung von Staat und Kirche oder um Islam in der irakischen Verfassung. Koral ist ehrgeizig und voller Neugier – und dann wieder so ängstlich um ihre Ehre besorgt, daß es uns fast die Sprache verschlägt. »Kurdinnen schwimmen nicht unter freiem Himmel«, sagt sie entsetzt zu Jessica, als die sie – am Frauentag – mit ins Schwimmbad nimmt und Koral feststellt, daß das Becken draußen liegt, allerdings durch eine mehrere Meter hohe Mauer gegen unbefugte Blicke geschützt. »Meine Familie würde mir das sehr übelnehmen, tut mir leid, Jessica, aber ich kann das nicht.« Jessica kommt an jenem Tag verstört nach Hause: »Heute habe ich mich ernsthaft gefragt, ob Frauen wie wir und Kurdinnen Freundinnen sein können. Ich hatte mich so auf das Schwimmen gefreut, für mich gibt es nichts Schöneres, als im Freien zu schwimmen!«

Irak ist und bleibt ein kompliziertes Land. Was würden meine Studenten aus dem arabischen Teil des Landes sagen, sollte ich mich tatsächlich mit einem Kurden liieren? Selbst wenn der einen dänischen Paß besitzt: Im innerirakischen Gefüge bleibt ein Kurde ein Kurde, sein Leben lang.

Es muß nicht mal um geteilte Betten gehen, schon die schlicht als Unterkunft gebuchten können jäh zum Kulturkrieg führen, wie ich bei meinem letzten Kurs gerade hatte lernen müssen: Ich hatte für die angereisten Studenten keine Doppelzimmer im Hotel mehr wie bisher gebucht, sondern Mehrbettzimmer in einem neu eröffneten Gästehaus. Ich wollte lieber mehr Journalisten ausbilden, die in einer Art Jugendherberge nächtigen, als wenige mit Komfortquartier im Hotel. Doch ich hatte nicht mit den Empfindlichkeiten unserer Studenten gerechnet. Erst beschwerte sich ein Student aus Bagdad über die neue Unterkunft. Binnen Minuten kippte die Auseinandersetzung, ging es nicht mehr um Hotelzimmer, sondern um die Einheit der Nation: Er sei die ewige Bevorzugung der Kurden leid, brach es aus dem zornigen Bagdadi heraus. Die arabischen Studenten müßten die gefährliche Reise von Bagdad nach Kurdistan auf sich nehmen, und überhaupt hätten wir nur das Wohl der Kurden im Sinn.

Willkommen im Irak! Bislang hatten sich die Studenten, jedenfalls in meiner Gegenwart, so gut vertragen, daß ich fast vergessen hatte, wie mißtrauisch hier grundsätzlich jeder jeden beäugt. Und daß, wer nur einen Fuß in dieses Land setzt, sofort die Unschuld verliert. Im Irak gibt es keine neutrale Position. Natürlich wußte der Student genau, weshalb wir unsere Kurse in Kurdistan abhalten: weil ich keine Woche lebend in Bagdad überstanden hätte, es sei denn, ich hätte mich permanent hinter Hochsicherheitsmauern verschanzt. Und weil es auch für sie gefährlich wäre, einen Kurs in Bagdad aufzusuchen, den das amerikanische Außenministerium finanziert. Im Streitfall aber, so wie jetzt, wird unser Standort Kurdistan sofort gegen uns verwendet. Wie wäre das erst mit einem kurdischen Mann an meiner Seite?

Was gilt es bei der Liebe in Zeiten des drohenden Bürgerkriegs nicht alles zu bedenken.

Als ich aus Amman zurückkomme, hat *Ramadan* begonnen, die vierwöchige Fastenzeit. Von Sonnenauf- bis Sonnenuntergang dürfen gläubige Muslime nicht essen, nicht trinken, nicht rauchen und keinen Sex haben. Nach Sonnenuntergang ist dann alles wieder erlaubt.

So weit sind wir aber noch lange nicht.

Mit 37 und 44 Jahren verabreden Niaz und ich uns wie Backfische. Zum Teetrinken, zum Spaziergang im Park, manchmal sitzen wir Stunden in meinem Zimmer und reden oder wir fahren in seinem Auto umher und hören Musik. Sehr kurdisch-keusch. Es sind ja auch fast immerzu Leute um uns herum. Niaz wohnt bei einem Onkel, ich in der WG, die noch dazu über meiner Schule liegt, mit Wächtern vor der Tür, die jeden Besucher mit Uhrzeit registrieren.

Die ersten Male kommt Niaz offiziell als mein neuer Arabischlehrer vorbei. Ich hatte tatsächlich vor, wieder Unterricht zu nehmen, doch ist Niaz definitiv nicht der richtige Lehrer für mich. Wir schweifen immer wieder ab, reden über alles mögliche, nur nicht über arabische Grammatik. Als Legende aber ist »Arabischlehrer« griffig, noch gibt es so recht kein Etikett für uns, und bevor wir uns selbst keines gegeben haben, sollen das auch die anderen nicht tun.

Mariwan und Ayub sind ohnehin abgelenkt, ihre Ambition gilt dem Kraftakt, hungrig und durstig durch den Tag zu kommen, vom ersten Morgengrauen bis zur Dämmerung. Leider raubt mir ihr vorbildliches Fasten den Schlaf:

Hatte ich es nicht geahnt, daß eine WG mit Muslimen im *Ramadan* versteckte Tücken barg? Nacht für Nacht um halb vier wache ich durch lautes Poltern aus der Küche auf; die beiden kochen für den *sahur*, das letzte Mahl vor Sonnenaufgang. Oft schrecke ich auch hoch, weil plötzlich Helligkeit mein Zimmer flutet: eine Extraration Strom als Zugeständnis an die Fastenden, im Prinzip erfreulich, vergäße ich nicht regelmäßig um Mitternacht, wenn der Strom abgeschaltet wird, meine Nachttischlampe auszudrehen. Am Tag hängen wir dann alle durch; ich, weil mich die schlaflosen Nächte rädern, die beiden, weil die Tage sie schaffen.

Zum Glück fahren Ayub und Jessica mitten im *Ramadan* mit drei unserer Studentinnen nach Amerika. Sie geben Interviews zur Lage der Presse im Irak, und ich kann endlich wieder durchschlafen – denn ohne Ayub macht Mariwan das Fasten keinen Spaß. Ein, zwei Tage versucht er noch durchzuhalten, doch allein unter Nicht-Muslimen fehlt ihm bald die Disziplin.

Statt zu fasten zieht er mit Tiare stundenlang durch den Bazar, kauft bergeweise Gemüse, Kräuter, frische Datteln und Granatäpfel ein und übernimmt in der Küche das Kommando. Gefülltes und geschmortes Gemüse, Eintöpfe, Chikken Tandoori, selbstgemachte Pizza, immer öfter setzen wir Frauen uns an den gedeckten Tisch und staunen über die verborgenen Qualitäten Mariwans. Als sei es das Normalste von der Welt für einen 25jährigen Kurden, mit einer Amerikanerin und einer Deutschen in einem Haus zu wohnen und neben seiner Arbeit als Übersetzer und Redakteur den Hausmann zu geben, kauft er ein, plant komplizierte Menüs, wirbelt stundenlang in der Küche umher. Von ihm lernen wir, wie man im Handumdrehen die roten Fruchtkörner aus dem Granatapfel löst, er verwöhnt uns mit *Mahalabi*, köstlichem Milchpudding mit Rosenwasser, und entdeckt Gourmettabak für unsere Wasserpfeife.

Rückblickend frage ich mich zuweilen, ob Liebe doch durch den Magen geht? Seit Mariwans *Coming out* als Küchenchef ist mir früh morgens immer öfter, als hörte ich ein Abwärtstrippeln auf der Treppe, gefolgt von einem Quietschen der Tür auf der anderen Flurseite, wo Tiares Zimmer liegt. Bahnt sich unter unserem Dach eine kurdisch-hawaianische Romanze an?

Tagsüber ist den beiden nichts anzumerken, aber was heißt das schon? Niaz und ich schleichen ja auch auf leisen Sohlen umeinander her. Und Tiare ist, sowenig wie ich, die Sorte Frau, für die sich gleich die Erdachse verschiebt, sobald sie sich verliebt. Wer wie sie Eltern hat, die es auf insgesamt acht Ehen bringen, glaubt nicht ohne weiteres an die große Liebe.

Immerhin, nach außen fällt den beiden die Tarnung leicht, Mariwan wohnt ohnehin im Haus, ein Stockwerk über uns. Wer wo schläft, bekommt außer den WG-Bewohnern vorläufig zumindest niemand mit. Auch wenn Shirwan, Herr über unsere Sicherheit, den Wachen eingeschärft hat, er wolle alles wissen, was in und vor unserem Haus geschehe. Das wiederum wissen wir von Mariwans Cousin, der einer der Wächter ist und Mariwan auf dem laufenden hält, was die anderen über uns reden.

Wir verargen Shirwan seine Neugier nicht, beruht sie doch, davon sind wir überzeugt, auf genuiner Sorge. Am Tag der Selbstmordattentate gegen Mala Baktiar, den Gastgeber meiner Dinnerpremiere mit Niaz, ruft Shirwan als erster an: »Geht heute nicht aus dem Haus«, warnt er uns wenige Minuten nach der Explosion des ersten Autos, »wenn ihr was braucht, geht einer von uns.« Ein deutlich besonnenerer Rat als andere, die wir im Lauf des Tages erhalten. »Verlaßt sofort die Stadt«, mahnt ein Freund, »flieht aufs Land, verschwindet in irgendeinem Dorf. Wer weiß, was noch passiert!« Für ein paar Stunden taumelt Suleimania im Ausnahmezustand. Ein Gerücht jagt das nächste: von weiteren Attentätern, die unterwegs seien, bis über eine angeblich vor dem Hotel Ashti in letzter Minute entschärfte Bombe. Nichts davon stimmt, aber auch die zehn Toten, die es bei den drei Explosionen gab, genügen, um der Stadt einen Schock zu versetzen. In Bagdad hatte vor wenigen Wochen während eines schiitischen Pilgerfests schon das Gerücht, es sei ein Selbstmordattentäter unterwegs, 965 Menschen das Leben gekostet. In Todesangst stürmten die Pilger auf einer völlig überfüllten Tigris-Brücke in alle Richtungen, trampelten sich gegenseitig tot, stürzten ins Wasser, ertranken. Einer unserer Studenten aus Bagdad verlor an jenem Tag seinen Bruder.

Das Gefühl realer Bedrohung steigert die Akzeptanz von Überwachung sehr. Völlig selbstverständlich teilen wir Shirwan in den Tagen nach dem Attentat minutiös mit, wann und mit welchem Ziel wir das Haus verlassen. Selbst wenn ich nur zum Krämerladen einmal über die Hauptstraße laufe, melde ich mich vorher ab. »Halt dein Handy den ganzen Weg über in der Hand, mit meiner Nummer auf dem Display«, empfiehlt dann Shirwan, »dann kannst du mich zur Not binnen Sekunden anrufen.« Mir leuchtet zwar nicht ein, wie er mir im Ernstfall helfen könnte, dennoch folge ich seinem Rat.

Und natürlich gebe ich ihm auch Bescheid, als Niaz und ich beschließen, das Schneckentempo unserer Annäherung ein wenig anzuziehen und übers Wochenende gemeinsam wegzufahren. Eine Stunde von Suleimania entfernt liegt Daban, ein kleines Feriendorf oberhalb eines Stausees; da wollen wir hin. Obwohl mein Herz klopft bis zum Hals, versuche ich, Shirwan möglichst beiläufig von dem geplanten Ausflug zu erzählen. Ich stelle ihm Niaz kurz vor, nach fünf Minuten haben sie ihre gemeinsame *Peschmerga*-Vergangenheit entdeckt, und alle Bedenken, sollte Shirwan welche gehegt haben, sind zerstreut.

Galten wir damit als Paar? Ich weiß nicht, was sich die anderen denken, untereinander reden sie bestimmt, doch nicht mit mir, nicht mit Niaz. Ohne daß je jemand ein Wort darüber verloren hätte, zählt er fortan zur ohnehin bunt zusammengewürfelten Familie. Irgendwann fragt Tiare auch nicht mehr nach meinen Fortschritten im Arabischunterricht. So wie ich nichts sage zu ihrem Nacht für Nacht verwaisten Zimmer. Wenn es an der Zeit ist, werden wir schon reden. Erst einmal aber müssen wir jede für sich herausfinden, auf was wir uns da gerade einlassen.

Nun kennt Niaz zwar noch nicht meine deutsche, immerhin aber meine Ersatzfamilie in Kurdistan. Es sei an der Zeit für mich, befindet er nach unserem Wochenende am See, seine Familie kennenzulernen. »Laß uns zu *Eid* nach Khanakin fahren«, schlägt er vor. An *Eid al-fitr* wird drei Tage lang das Ende des Fastenmonats *Ramadan* gefeiert; die Familie versammelt sich, Verwandte kommen zu Besuch, für die Kinder gibt es Taschengeld und neue Kleider. Mich zu *Eid al-fitr* einzuladen ist in etwa, als hätte ich ihn gebeten, mit mir und meinen Eltern Weihnachten zu verbringen.

(M)eine kurdische Familie

»Wird sie wütend, wenn ich sie küsse?« fragt Niaz' Schwester, bevor sie mich mit dem traditionellen Wangenkuß begrüßt. »Es macht ihr nichts aus, auf dem Boden zu essen? Oder sollen wir uns an den Tisch setzen?« will seine Mutter wissen, als die Zeit fürs Abendessen kommt. Ich erinnere nicht genau, als wen oder was Niaz mich in Khanakin angekündigt hatte, auf jeden Fall sind wir, einer Premiere gebührlich, alle etwas nervös. Dies ist nicht nur meine erste Begegnung mit seiner Familie. Ich bin die erste Freundin überhaupt, die der erwachsene Niaz mit nach Hause bringt, die erste Europäerin sowieso. Allen Besuchern, die im Lauf der Tage hereinschneien – und da *Eid* bevorsteht, kommen viele –, wird meine Anwesenheit der Einfachheit halber mit meinem Beruf erklärt: »eine Journalistin aus Deutschland«.

Es müssen ja nicht gleich alle Nachbarn über uns reden – was sie natürlich trotzdem tun, schon weil Niaz 44 Jahre alt und noch unverheiratet ist, in kurdischen Augen keine Lebensentscheidung, sondern eine Tragödie.

Oft kommt die Frage »Ist das deine Frau?« schneller, als er mich vorstellen kann. Auf sein »Nein« folgt dann meist eine Geste des Bedauerns, eskortiert von einer Ermunterung, einem non-verbalen »Das wird sicher noch!« In Kurdistan geht es zwischen Mann und Frau eben immer gleich ums Ganze.

Wir kennen uns seit vier Wochen; kein Mensch würde in Hamburg oder Berlin auf die Idee kommen, nach Heiratsplänen zu fragen. Und würden wir selbst solche äußern, würden Freunde und Familie mich skeptisch beiseite nehmen und insistieren: »Willst du dir das nicht noch einmal überlegen?«

Zum Glück sind die meisten mit der Festvorbereitung viel zu beschäftigt, um sich eingehender mit uns zu beschäftigen. Schätzungsweise in zwei Tagen soll *Eid al-Fitr* beginnen, hundertprozentig voraussagen kann das niemand, da das Fest sich nach dem Neumond richtet. Wir wollen vier oder fünf Tage bleiben, zünftig lang für den ersten Familienbesuch, doch für Niaz ist es das erste *Eid* zu Hause seit über 20 Jahren. Ich habe vorsichtshalber meinen Laptop mitgenommen und ein paar Folgen von *Desperate Housewives*. Wird mir der Familientrubel zuviel, kann ich mich still ins Nebenzimmer verziehen und ein wenig Eskapismus betreiben. Fünf Tage Weihnachten wären mir selbst mit meiner eigenen Familie zu lange. Und dank meiner WG-Erfahrung mit Ayub und Mariwan ist mir klar: Ich werde viel Kurdisch hören in den nächsten Tagen. Anfangs quengele ich noch,

Niaz möge übersetzen, unterlasse das aber zu seiner und meiner Entspannung bald. Statt dessen spiele ich ein Spiel mit mir und versuche, möglichst viele Vokabeln aus den Unterhaltungen herauszuhören; mein Kurdisch macht während der Feiertage einen Quantensprung.

Die Festtage mit dem dazugehörigen Audienzritual – im Grunde besucht jeder jeden, so kommt es mir jedenfalls vor – führen mich in Windeseile in die nähere und fernere Verwandtschaft ein. Onkel, Tanten, Cousinen und Großcousinen, Schwäger, Neffen und Nichten, in der Stadt und auf dem Land, aus Khanakin, aus Bagdad, aus Erbil: Nach ein paar Tagen hätte ich mit etwas Konzentration einen detaillierten Stammbaum zeichnen können.

Aber ich will nicht nur Verwandte sehen, ich interessiere mich auch für die Stadt, will die Geschichten, die Niaz erzählt hat, mit Bildern versehen.

Khanakin ist eine kleine Stadt und heute fast ausschließlich von Kurden bewohnt. Die meisten der von Saddam angesiedelten Araber sind seit April 2003 fortgezogen, aus Furcht um ihr Leben. Rache schien nicht unwahrscheinlich: 40 Jahre lang hatten die Kurden Khanakins gelitten unter der Zwangsarabisierung ihrer Stadt, mit der das Baath-Regime 1960 begann. Ganze Clans wurden vertrieben, in den umliegenden Dörfern mehrere tausend Häuser zerstört. Es wäre besser, wurde nach Saddams Sturz den in der Stadt verbliebenen Arabern bedeutet, sie gingen dahin zurück, wo sie einst hergekommen sind. Drei Prozent der Einwohner seien heute noch arabisch, sagt die Stadtverwaltung.

Dabei gehört Khanakin strenggenommen gar nicht zu Kurdistan. Noch nicht! würden die meisten Khanakinis sagen, für sie sind ihre Tage als Teil der arabischen Provinz Diyala gezählt. Diyala und dessen Provinzhauptstadt Bakuba gelten als Feindesland: Dort säßen die alten Unterdrücker und die neuen Terroristen.

Tatsächlich zeichnet sich in Bakuba, gerade mal 108 Kilometer von Khanakin entfernt, seit einer Weile ein neues Epizentrum des Schreckens ab, wo das gesamte Arsenal des irakischen Terrors zum Alltag zählt: Entführungen, Enthauptungen, ethnische Säuberung, versteckte Sprengsätze, Selbstmordattentate. »Bis zum Abendgebet habt ihr die Stadt verlassen – oder wir töten euch!« war der letzte Gruß der Stadt an die kurdische Familie eines Obstverkäufers, der daraufhin nicht einmal mehr seine Habseligkeiten packte, sondern sofort mit seiner schwangeren Frau und ihren drei Kindern nach Norden floh und seither bei Verwandten in Khanakin wohnt. In der gefürchteten Provinzhauptstadt versteckte sich, wie sich ein Jahr später herausstellen wird, auch der meistgesuchte Terrorist im Irak: Abu Mussab al-Sarqawi, von der US-Armee am 7. Juni 2006 bei einem Luftangriff auf Bakuba getötet.

Wer kann es den Khanakinis verdenken, wenn sie für einen Gang aufs Amt lieber drei Stunden nordwärts nach Suleimania fahren als eine Stunde in den tödlichen Süden? Und was, wenn Irak eines Tages tatsächlich auseinanderbricht und in einen kurdischen, einen sunnitischen und einen schiitischen Teil zerfällt? Eine arabisch-sunnitische Stadt wird Khanakin nimmermehr, und sei es um den Preis eines weiteren blutreichen Kriegs.

Ich mag die Stadt auf den ersten Blick. Auch wenn sie, wie Niaz mir immer wieder versichert, früher viel, viel schöner gewesen sei. Keine Berge, keine weiten Täler wie rund um Suleimania. Dafür verwunschene Palmengärten, Dattelplantagen, eine alte Bogenbrücke über den Alwan und wunderschöne, vom Einsturz bedrohte Lehmhäuser am Fluß.

Anders als im sonst überwiegend sunnitischen Kurdistan lebt in Khanakin auch eine große Schiiten-Gemeinde. Die kleinere der beiden schiitischen Moscheen liegt gleich um die Ecke von Niaz' Elternhaus, die andere am Beginn der Altstadt, Niaz zeigt sie mir gleich am ersten Tag bei einer kleinen Stadtrundfahrt.

Was wir nicht ahnen: Es sollte das einzige Mal bleiben, daß ich sie sehe. Drei Wochen nach unserem Besuch sprengten sich zwei als Betende getarnte Selbstmordattentäter während der Freitagspredigt in den schiitischen Gotteshäusern, zerstörten sie fast völlig und rissen 85 Menschen mit in den Tod. Nach der ersten Nachricht von der Katastrophe brauchten wir Stunden, telefonisch von Suleimania nach Khanakin durchzukommen und Gewißheit über die Unversehrtheit der Familie zu erlangen. Als hätte es noch eines Beweises bedurft, daß für Khanakin alles Schlechte von Süden kommt, stellt sich später heraus, daß die Attentäter aus einem Dorf in Diyala stammen. In jener Nacht ließ ich Niaz zum erstenmal in unserer WG übernachten. Nach Stunden der Todesangst um seine Familie war mir egal, was die Wachen oder unsere Nachbarn denken. Und meine Mitbewohner wußten zu dem Zeitpunkt, ohne daß wir groß darüber geredet hätten, sowieso Bescheid.

Bei unserer Tour durch und rund um Khanakin führt Niaz mich an die Orte seiner Kindheit. Zeigt mir die Badestelle am Fluß, wo er immer geschwommen ist; das Haus seiner »Milchmutter«, die sich um ihn kümmerte, nachdem seine eigene Mutter – bei Niaz' Geburt war sie erst 15 Jahre alt – zu ihren Eltern zurückgelaufen war, überfordert von der Verantwortung; seine Schule; das im Iran-Irak-Krieg zerstörte Kino, das einst seiner Familie gehörte.

In der Altstadt deutet er auf einen schmalen Verschlag, in dem zwei Männer Toaster, Staubsauger und Backöfen verkaufen. »Dort war der Laden meines Vaters. Er fing mit Secondhandklamotten an und verkaufte dann, als er genug Geld beisammen hatte, Herrenmode.« Niaz wuchs zwischen Stoffballen und Maßanzügen auf; Stunde um Stunde saß er nachmittags im Laden, steckte Hosenbeine ab, brachte den Kunden die neuen Kleider ins Haus. Der Vater, ein strenger Mann, mochte nicht, wenn sein Ältester draußen umhersprang. Außerdem brauchte er ihn: Komplikationen bei den Masern hatten dem Vater, als er noch ein kleiner Junge war, sein Gehör geraubt. Weshalb er lernte, in den Gesichtern der Menschen zu lesen, um sie zu verstehen. In ihren Augen. Von ihren Lippen. Sprache spielte bald keine Rolle mehr, selbst Unterhaltungen auf der anderen Straßenseite oder viele Tische entfernt im Teehaus konnte er verfolgen, solange er die Gesichter der Sprechenden sah. Keine heimliche Liebe im Ort blieb ihm verborgen, weil er Blicke lesen konnte, jedes verstohlene Schauen, jeden kleinen Augenaufschlag registrierte.

Vom Vater lernte der Sohn diese Gabe, denn was er konnte, verlangte er auch von Niaz. Stand der hundert Meter vom Laden entfernt und der Vater rief ihm lautlos etwas zu, mußte er die Worte sehen. Bald schon überflügelte er den Vater in der Kunst des Lippenlesens. Ein Talent, das anderen nicht verborgen blieb und Niaz in neue Kreise führte.

Doch zunächst wurde er, gerade 14, jäh und grausam der dunklen Seiten seiner Heimat gewahr. Irgendwie war sein Vater beim *muchabarat*, dem irakischen Geheimdienst, in den Verdacht geraten, er gebe den kurdischen Freiheitskämpfern Geld. Niaz wußte von nichts, als plötzlich starke Arme ihn griffen, in ein Auto zerrten und mit verbundenen Augen an einen unbekannten Ort brachten. Seine erste Begegnung mit Saddams Folterknechten, lange nicht die letzte. Als er endlich nach Hause durfte, steckte er noch mal Prügel ein – von den besorgten Eltern, die glaubten, er sei abgehauen. Die Wahrheit mutete er ihnen nicht zu. Erst Jahre später erzählte er, wo er in jenen Tagen, Wochen wirklich gewesen war.

Auf Umwegen erfuhr ein Freund des Vaters von Niaz'

Verhaftung und sprach ihn an: ob er jenen helfen wolle, die sich wehren. Er besitze Fähigkeiten, die die kurdischen Widerstandskämpfer bräuchten; wenn er sich ihnen anschlösse, könnte er sich an seinen Peinigern rächen und zugleich der kurdischen Sache dienen.

So kam er mit 14 Jahren zu den Stadt-*Peschmerga*, die vor allem Aufklärung betrieben: die Spitzel bespitzeln, um dem Tod immer einen Schritt voraus zu sein. Wenn sie vorab in Erfahrung brachten, was die andere Seite plante, konnten sie Todgeweihte warnen, Hinrichtungskandidaten zur Flucht verhelfen, sie in die Berge oder über die Grenze schmuggeln. Und wer eignete sich besser zum Sammeln von Informationen als einer, der gar nicht hören mußte, was geredet wurde, und trotzdem jedes Wort verstand? Ein Junge noch dazu, ein halbes Kind, das die Erwachsenen nicht wahrnahmen, wenn es seinen Vater begleitete oder auf Botengängen durch die Straßen zog. Niaz sollte Kollaborateure enttarnen, Doppelagenten und Verräter, indem er den Leuten aufs Maul schaute und Gut von Böse unterschied.

Jeden Nachmittag saß er mit seinem Vater im Teehaus, wenn der Domino spielte, und las die Gespräche an den anderen Tischen mit. Half er im Laden, beobachtete er nebenher das Geschehen und vor allem das Gerede auf der Straße. Manchmal machte er Notizen, das meiste aber behielt er im Kopf, oder er zeichnete, das fiel weniger auf: ein Kind, das malte, wer achtete darauf?

So entdeckte er das grausame Geheimnis des Schustergehilfen im Laden nebenan. Der Schuster selbst hatte drei Söhne, von denen jeder wußte, daß sie für den Geheimdienst arbeiteten; sie wurden wiederum von den *Peschmerga* überwacht, eine berechenbare Größe im gegenseitigen Kräftemessen. Der Gehilfe aber galt als harmlos, sei todkrank, hieß es, genaues wußte keiner, er war für alle einfach der Gehilfe, der bald stürbe.

Bis Niaz ihm die Wahrheit von den Lippen las.

Von seinem unauffälligen Platz im Laden seines Vaters aus entdeckte Niaz, daß den Nachbarn sein angeblich bevorstehender eigener Tod weit weniger beschäftigte als der Tod anderer. Mehrmals verschwanden Männer, über die Niaz den Schustergehilfen mit anderen Männern hatte reden sehen, wenig später spurlos. Anfangs wollte ihm niemand glauben. Der? Der ist doch harmlos, sagten sie.

Doch Niaz war überzeugt: Er irrte sich nicht.

Es kamen viele Männer in den Schusterladen, vermeintlich, um sich neue Pistolenhalfter nähen zu lassen, aber Niaz schaute ihnen auf die Lippen und wußte, daß es in Wahrheit um andere Dinge ging. »X fährt diese Woche nach Bagdad«, sagte der Schustergehilfe, und ein paar Tage später erfuhr Niaz, daß X tatsächlich am vorausgesagten Tag nach Bagdad aufgebrochen, aber nie dort angekommen und auch nicht wieder zurückgekommen war. Die *Peschmerga* fingen an, Niaz zu glauben, und stellten dem Schustergehilfen mehrere Fallen, um ganz sicherzugehen. Er tappte in jede hinein, und schließlich waren sie überzeugt: Im Schusterladen saß ein genial getarnter Spion, der Gelegenheiten für diskrete Morde auskundschafte und weitergab.

Eines Nachts wachte Niaz auf und hörte neun Schüsse in der Nachbarschaft. Am nächsten Morgen blieb der Stuhl des Schustergehilfen leer. Für jeden, den er ans Messer geliefert hatte, steckte eine Kugel in seinem Leib. Seit jenem Tag wußte Niaz: Er durfte sich bei dem, was er anderen von den Lippen las, niemals irren.

»Kannst du das immer noch – von den Lippen lesen?« frage ich.

»Im Prinzip schon. Aber ich bemühe mich, es nicht zu tun. Ich habe versucht, vieles von dem, was ich hier erlebt habe, zu vergessen.«

Wir fahren zurück ins Haus seiner Familie. Im Moment wohnen alle unter einem Dach: seine Mutter, seine Schwester und ihr Mann mit ihren drei Kindern, bis das neue Haus, das die Schwester gerade baut, fertig ist. Der Vater ist vor acht Jahren bei einem Verkehrsunfall gestorben, Niaz hat ihn nach seiner Flucht nie wieder gesehen, nie mehr mit ihm gesprochen, denn telefonieren konnte er mit dem tauben Vater ja nicht.

Niaz' Schwager kommt nur jedes zweite Wochenende nach Hause, er ist Offizier und an der Militärakademie in Ranya stationiert, vier Stunden von Khanakin entfernt. Über *Eid* aber hat er frei bekommen. Stolz zeigt er mir ein Foto von sich und Talabani. Als er es wieder an die Wand hängt, sagt er: »So eins habe ich auch mit Saddam. Aber das bleibt jetzt im Schrank. Wir von der Armee waren die ersten, die ihm den Rücken kehrten! Die Amerikaner hätten keinen Krieg beginnen müssen. Sie hätten sich mit der irakischen Armee verbünden sollen, statt uns zu bekämpfen. Gemeinsam hätten wir Saddam schneller und ohne das Chaos, das wir jetzt haben, gestürzt.«

Es gibt Hühnchen mit Reis. Die Panik vor der Vogelgrippe, die es in Suleimania seit Wochen unmöglich macht, im Bazar oder im Supermarkt auch nur einen Hühnerschenkel aufzutreiben, hat Khanakin augenscheinlich noch nicht erreicht. Wir lassen uns alle auf dem Boden vor dem Fernseher nieder und gucken mit den Kindern *pischpisch*, wie der Jüngste »Tom und Jerry« in seinem Kinderkurdisch nennt. Die älteste Tochter kramt aus einem Versteck einen Stapel Briefe hervor und zeigt sie mir: Post von ihrer Brieffreundin aus Amerika, liebevoll mit Blümchenstickern und Smileys verziert. Ein Programm, das in vielen irakischen Schulen läuft, um die Englischkenntnisse zu fördern, aber auch die Freundschaft zwischen den Völkern. Damit die Schüler lernen, daß Amerika nicht nur aus *Marines* und *Special Forces* besteht.

Mit Blümchenstickern und Smileys haben die Begegnungen mit Amerikanern im restlichen Irak eher wenig zu tun. Drei Wochen zuvor erst ist ein Cousin von Niaz von US-Soldaten erschossen worden, niemand weiß warum. Er war Arzt und mit seinem Auto auf dem Rückweg von Bakuba, der notorisch unruhigen Provinzhauptstadt Diyalas, nach Khanakin, als ein Scharfschütze ihn von einer Brücke aus ins Visier nahm und ihn mitten in die Stirn traf. Mit etwas Glück bekommt die Familie, er hinterläßt Frau und mehrere Kinder, ein paar tausend Dollar Entschädigung, Fall erledigt. Warum ihr Mann, ihr Vater sterben mußte, ob er mit jemandem verwechselt wurde, ob der Soldat in einer Panikattacke schoß, aus Rache für einen getöteten Kameraden oder einfach zum Spaß: Nie wird die Familie es erfahren.

Während die Mutter Tee und Früchte bringt, überlege ich, wo wir wohl schlafen werden. Beide in einem Zimmer? Das Haus ist nicht sehr groß. Doch genügend Räume, um uns ein Anstand wahrendes getrenntes Quartier zu bereiten, gibt es schon. »Wo steht denn meine Tasche? Ich möchte mir ein paar warme Socken holen«, erkundige ich mich beiläufig. »Im hinteren Wohnzimmer, da, wo meine Mutter uns auch die Matratzen hingelegt hat.« Uns. Das wäre also schon mal geklärt. Wenn das die Nachbarn wüßten! Eine Journalistin aus Deutschland, ja, das bin ich auch.

Am Morgen von *Eid* serviert Niaz' Mutter ein üppiges Frühstück. Zum erstenmal seit vier Wochen dürfen die Fastenden wieder bei Tageslicht essen. Es gibt Eier und Früchte, dazu essen wir warmes Brot mit Dattelsirup und *Qaima*, einer Art irakischem Mozzarella aus der Milch von Wasserbüffeln. Die Kinder führen uns und ihren Freunden ihre neuen Kleider vor, und wir wünschen uns alle gegenseitig »*Eid mubarak*« oder »*Jazhnit piroz bet*«, wie der Festtagsgruß auf kurdisch heißt.

Dann zeigt Niaz mir die Dattelplantage seiner Familie,

eine grüne Oase fast mitten in der Stadt. Wir klauben frische Datteln und Orangen auf, beide köstlicher als alles, was es im Bazar zu kaufen gibt, und drehen eine Runde unter den majestätischen Baumriesen. So paradiesisch kann es sein im Irak. Und doch ist das nächste Drama immer ganz nah.

Mich holt es am nächsten Abend am Lagerfeuer ein. Wir sitzen bei einem alten Freund von Niaz, einem Architekten, vor kurzem aus der Schweiz zurückgekehrt und Besitzer eines selbstgebauten reizenden Landhauses etwas außerhalb der Stadt zwischen zwei Dattelplantagen. Er hat eine Gans für uns geschlachtet und röstet sie über dem Feuer im Garten. Außer uns ist noch ein Cousin des Freundes mit drei seiner vier Töchter da. Er arbeitet als Geschäftsmann in Bagdad und spricht gut Englisch, gerade unterhalten wir uns über dieses und jenes Viertel in Bagdad und wie sich die Stadt in den letzten zwei Jahren verändert habe, da zieht der Cousin seine Hosenbeine hoch und massiert sich die Schienbeine. »Entschuldigung, aber abends schmerzen die Narben noch immer«, sagt er. Nach einem kurzen Seitenblick auf seine Töchter, die aber nicht zuhören, da sie kein Englisch können, fährt er fort: »Ich bin vor fünf Monaten in Bagdad entführt worden. Sie haben mir die Beine gebrochen, außerdem habe ich drei Schädelfrakturen«, mit einer behutsamen Handbewegung streicht er sich über den Kopf, als könne er nicht glauben, daß er noch oder wieder heil ist. »Sie wollten mich umbringen, weil sie nicht glaubten, daß ich zahlen würde.« 5000 Dollar, eine Anzahlung auf das verlangte Lösegeld, hätten sie in letzter Minute umgestimmt. Mit 110 000 Dollar kaufte seine Familie ihn schließlich frei, die Entführer waren detailliert über die Vermögensverhältnisse im Bild, wußten genau, welche Geschäfte er macht, welche Läden ihm gehören. »Einmal hielt mir einer der Entführer ein Telefon hin und sagte: Hier, die Polizei, willst du mit ihnen reden? 30 000 Dollar vom Lösegeld sind für die.« Das einzige, was ihn am Leben gehalten habe, sei der Gedanke an seine Töchter gewesen, die jüngste sechs, die älteste zwölf Jahre alt. Seine Frau ist zwei Jahre zuvor an Brustkrebs gestorben; mit seiner Ermordung hätten die Entführer sie zu Vollwaisen gemacht.

»Dann arbeiten Sie jetzt sicher hier in Khanakin?«

»Nein, ich fahre immer noch nach Bagdad. Was soll ich machen? Meine Geschäfte sind dort, und wenn ich mich nicht selbst kümmere, geht alles vor die Hunde. Aber ich fahre nicht mehr mit meinem Auto, der schwarze Mercedes ist zu auffällig. Ich nehme ein normales Taxi.«

Am nächsten Tag fahren Niaz und ich nach Suleimania zurück. Die ganze Familie versammelt sich vor dem Tor des kleinen weißen Hauses, um uns nachzuwinken. Während wir uns von allen verabschieden, verschwindet Niaz' Mutter noch einmal kurz im Haus. Mit einer Hand hinter dem Rücken kommt sie wieder heraus. Wir steigen ein, fahren los, ich drehe mich um, um zu winken, und sehe gerade noch, wie die Mutter aus einem großen Glas einen Schwall Wasser hinter uns auf die Straße kippt, exakt auf die Spuren, die unsere Reifen im Staub hinterlassen haben.

»Was war das?« frage ich Niaz.

»Sie wäscht unsere Spuren von der Straße, damit der Teufel uns nicht folgen kann. Das soll Glück bringen und eine sichere Reise garantieren.« Das gefällt mir. Im Irak gibt es viel zu viele Teufel, die einem aus den verschiedensten Gründen folgen wollen. Da scheint mir das rituelle Verwischen unserer Spuren eine gute Idee. »Danke!« murmele ich leise und freue mich auf die Fahrt zurück in die Berge.

Im Abendkleid zur Polizei

Die Ankunft von Leila und Ammar in unserer Journalistenschule ist eine kleine Sensation. Von fast überall haben wir schon Studenten gehabt: aus Ramadi, das regelmäßig wegen Gefechten zwischen Aufständischen und der amerikanischen Armee in den Schlagzeilen ist, aus Hawidscha, einem Brennpunkt im sunnitischen Dreieck, aus Mosul, aus dem fernen Basra, aus den Schiiten-Hochburgen Nadschaf und Kerbala, aus Hilla im berüchtigten Todesdreieck südlich von Bagdad und aus Bagdad sowieso.

Leila und Ammar aber kommen aus Falludscha, eine Premiere für uns. Ein Ehepaar, sie deutlich jünger als er, soweit sich das erkennen läßt – denn sie kommt, noch eine Premiere, vollverschleiert zum Unterricht. Nur ihre Augen können wir sehen.

Unsere Kurden im Team sind hin- und hergerissen. Vollverschleierte Frauen sieht man in Suleimania so gut wie nie, ich habe in acht Monaten nicht eine einzige gesehen. »Vielleicht ist sie unter dem Schleier ganz häßlich?« wundert sich unser Logistikchef Dana. »Nein, das kann nicht sein, hast du ihre wunderschönen Augen gesehen?« widerspricht der Übersetzer Alan. Und ich denke mir, daß Leila genau das Gegenteil dessen erreicht hat, was beabsichtigt war: Sie zieht erst recht die Aufmerksamkeit der Männer auf sich. Über keine andere Frau aus dem Radiokurs unterhalten sich unsere Kollegen so ausgiebig wie über Leila.

Ich gebe zu: Auch ich bin fasziniert. Gesehen hatte ich vollverschleierte Frauen schon häufiger, in Kuwait, im Iran, in Jordanien, in London, selbst in Deutschland. Doch waren es immer flüchtige Begegnungen, ohne Wechselwirkung. Wir liefen auf der Straße aneinander vorbei, begegneten uns in einem Kaufhaus oder in der Abflug-Lounge am Flughafen. Noch nie hatte ich neben einer vollverschleierten Frau im Restaurant gesessen, noch nie mit einer geredet.

Anfangs fühle ich, fühlen wir uns alle ein wenig befangen. Eigentlich führen Jessica und Ayub diesen Radiokurs; weil sie aber mit leichter Verspätung von ihrer USA-Reise mit den Studentinnen zurückkommen, springe ich am ersten Tag ein. Es ist ungewohnt, nur mit einem paar Augen zu kommunizieren – und dann auch wieder nicht, da ich, wegen der Sprachbarriere, im Unterricht ohnehin mehr Augenkontakt halte als sonst. Im Restaurant bemühe ich mich, nicht ständig hinzugucken, wie Leila es vollbringt, ihren Salat, ihr Lamm zu essen, obwohl es mich natürlich brennend interessiert. Für jeden Bissen hebt sie das Tuch vor ihrem Gesicht leicht an, gerade genug, um die Gabel zum

Mund zu führen, aber ohne daß man den Mund dabei sieht. Dann läßt sie den Schleier wieder fallen, bis zum nächsten Bissen. Ob sie in Falludscha jemals auswärts essen geht?

Zum Glück haben wir für das Begrüßungsdinner ein Lokal mit Familienséparée gewählt, und trotzdem wäre das gemeinsame Essen beinahe daran gescheitert, daß draußen über der Tür »Restaurant & Bar« steht. Ich hatte das Schild zuvor nie bemerkt. In eine Bar, erklärt Ammar, gehe er mit seiner Frau nicht. Erst als ich ihm unseren Tisch im Familienteil zeige, willigt er ein.

Auch die Kellner vergessen vor lauter Neugier beinahe die anderen Gäste und drücken sich ständig an unserem Tisch herum. Erst als Ammar sie einmal scharf anblickt, trollen sie sich.

Nach ein paar Tagen gewöhnen wir uns an Leilas Verhüllung, und auch die beiden entspannen sich. Am ersten Tag hatte Leila, als ich sie nach dem Alltag in Fallduscha fragte, gesagt: »Darauf antwortet am besten mein Mann.« Auch später redet sie im Unterricht nicht viel, hört aber immer aufmerksam zu, und in den Pausen sehe ich sie immer häufiger in Gespräche mit den anderen Frauen vertieft.

Ammar hat bereits einige Erfahrung gesammelt als Journalist; aus Falludscha, für die ausländische Presse kaum noch zugänglich, beliefert er Nachrichtenagenturen und Zeitungen. Gelernt hat er das Journalistenhandwerk aber nie und saugt mit Begeisterung alles auf, was er von Jessica, Ayub oder mir hört. Auch die Diskussionen mit den Irakern aus den anderen Landesteilen, erst recht mit Kurden und mit Amerikanern – undenkbar in seiner Heimatstadt! –, faszinieren ihn.

Die beiden haben gerade angefangen, sich richtig einzuleben, als der Tag von Ferhads Hochzeit kommt.

Nach langer Suche hatte Ferhad, einer unserer Übersetzer, der nicht bei uns im Haus, sondern noch bei seinen

Eltern wohnte, endlich ein erschwingliches Haus für sich und seine Verlobte gefunden; weil Kurdistan die einzige Region im Irak ist, wo Entführungen und Attentate nicht alle Bauprojekte und Investitionen blockieren, sind in Suleimania und Erbil die Immobilienpreise geradezu explodiert. Dazu Spekulation, Korruption, die Vetternwirtschaft der Parteien, Schiebereien beim Grundbesitz, kurzum: Für den Durchschnittskurden werden Häuser, egal ob zum Kauf oder zur Miete, zunehmend unbezahlbar. Ohne eigenes Heim aber wollte Ferhad nicht heiraten; das Risiko einer lebenslangen Wohngemeinschaft mit seinen oder ihren Eltern wäre schlicht zu groß. Woche um Woche hörten wir seinen Rapport über den Immobilienmarkt in Suleimania, vernahmen staunend, daß ein abbruchreifes Haus an der Salemstraße, der großen Ost-West-Achse durch die Stadt, für mehr als drei Millionen Dollar verkauft worden sei, und andere Blüten des neu erwachten Kapitalismus à la Kurdistan. Dann endlich die gute Nachricht: Ein Haus ist gefunden, klein, aber bezahlbar. Der Hochzeit steht nichts mehr im Weg, und Ferhad hat das gesamte *IWPR*-Büro eingeladen.

»Was ziehst du an, Jessica?« rufe ich über den Flur, ratlos vor meinem Kleiderschrank stehend. Meine erste kurdische Hochzeit, ich habe keinen Schimmer von der Kleiderordnung. Ist schulterfrei erlaubt? Ein geschlitzter Rock? Dekolleté, und wenn ja, wie tief? Ich will nicht ungehörig erscheinen, aber auch nicht wie ein Bauerntrampel. Auf der Hochzeit, zu der ich ein Jahr zuvor im Iran eingeladen war, trugen die Frauen derart gewagte Kleider, ich kam mir vor wie Aschenputtel im kleinen Schwarzen.

Wir ziehen Mariwan zu Rate. Jessica führt ihm ein Outfit vor. »Nee«, sagt Mariwan spontan, wofür er von Tiare – Selbstauskunft: »Ich bin eine Feministin, groß geschrieben!« – gleich gerüffelt wird. »Du sollst sie ermuntern, nicht entmutigen!«

»Ihr habt nach meiner Meinung gefragt«, erwidert Mariwan beleidigt. Gewisse Gespräche zwischen Mann und Frau sind einfach universal, losgelöst von Zeit und Raum.

»Sag uns doch wenigstens, was die Leute hier so auf eine Hochzeit anziehen.«

»Sachen aus dem Bazar.«

»Etwas genauer?«

»Alles mögliche.«

»Schwarz?«

»Ja.«

»Mir hat aber ein Freund gesagt, die Frauen kleideten sich eher bunt.«

»Bunt auch, geht alles, schwarz, bunt, ihr werdet es ja sehen.«

»...«

Tiare kommt in einem langen Rock aus ihrem Zimmer, ihre neueste Erwerbung aus Kalifornien.

»Ich glaube, du hast den verkehrt herum an«, sagt Mariwan. »Man sieht die ganzen Nähte.«

»Das soll so sein!« erwidert Tiare, leicht genervt. »Das ist modern.«

»Aha.« Mariwan trollt sich in sein Zimmer.

Ich erzähle Tiare, daß im Iran ein auf links getragener Tschador das Erkennungszeichen für Prostituierte ist. Sie zieht sich sofort um.

Ich entscheide mich für eine zwar hochgeschlossene, aber sehr elegante schwarze Jacke mit Stehkragen und bunten Stickereien, die ich in Istanbul gekauft habe, das müßte vom Kulturkreis doch in etwa passen. Dazu einen roten Seidenrock und schwarze perlbesetze Stöckelschuhe. Ich tusche mir gerade die Wimpern, als ich Jessica auf dem Flur laut reden höre, offenbar am Telefon.

»Ja, das sind meine Studenten.« Pause. Vermutlich, weil der Mensch am anderen Ende der Leitung etwas sagt.

»Ja, Sir, sie ist verschleiert. Ist das für Sie ein Problem?«

O je – Leila! Was ist passiert? Und wieso »Sir«? Mit wem spricht Jessica da?

»Nein, Sir, wir kommen sofort vorbei. Wir sind in zehn Minuten bei Ihnen.«

»Was ist los?« frage ich. »Sie haben Ammar und Leila verhaftet und zum *Aseish* gebracht. Ich habe gesagt, wir kommen sofort.« Wir schnappen uns Mariwan, schicken Tiare schon mal zur Hochzeit vor, um den anderen Bescheid zu sagen, daß wir später kommen, und fahren mit Akram zum Büro der Sicherheitspolizei am anderen Ende der Stadt.

Bis heute bedauere ich, daß es von den Szenen auf dem Revier keine Fotos gibt, zu gern hätte ich mir das Geschehen noch einmal aus der Perspektive der Zuschauerin angesehen.

Auftritt Jessica, Mariwan und Susanne: In feinster Abendgarderobe stolpern wir in ein völlig verräuchertes, dreckiges Kommissariat der Sicherheitspolizei.

Die Bühnenbesetzung: Auf einem rostigen Feldbett sitzen drei schmierige Männer, Polizisten vielleicht oder Kriminelle, sie rauchen und unterhalten sich; mehr Männer stehen herum, der Chef von allen aber scheint der ebenfalls rauchende Mann mit großem Schnurrbart hinter dem wakkeligen Schreibtisch zu sein, der pausenlos mit einem alten Bakelithörer am Ohr vorgeblich wichtige Gespräche führt. Unsere Ankunft ignoriert er erst einmal.

Die Hauptfiguren: Ammar steht, Leila sitzt vor dem Schreibtisch des Polizeichefs, er ist ganz ruhig, sie verlegen, weiß nicht, wohin sie schauen soll. Die Männer im Raum starren sie ohne jede Scham an. Fast glaube ich zu sehen, wie sie unter ihrem Schleier errötet. Ihre Hände, sittsam mit schwarzen Handschuhen bedeckt, hat sie ineinander gefaltet in den Schoß gelegt.

Die Handlung: Jessica und ich, in vollem Make-up, mit

engen Röcken und hohen Schuhen, stellen uns neben die vollverschleierte Leila. Keine von uns paßt in dieses Schmuddelbüro, und wir passen nicht zusammen, die aufgebrezelten Ausländerinnen und die vollverschleierte Muslima; alle zusammen müssen wir wirken wie eine Erscheinung, die aus einer den Beamten nicht erklärlichen Welt über das Kommissariat gekommen ist.

Was haben die Amerikanerin und die Deutsche mit dem seltsamen Paar aus Falludscha zu tun? Leider finden, im Gegensatz zu uns, die Männer unsere Gegenwart amüsant, eine Abwechslung im tristen Polizeialltag, und so hat keiner Eile, uns loszuwerden.

Jessica und ich reden freundlich, aber bestimmt auf den Polizeichef ein, der keine Anstalten macht, den Telefonhörer auch nur für eine Sekunde beiseite zu legen. Ich spüre, wie ich wütend werde. Aber mit Schreien kämen wir hier keinen Schritt weiter. Endlich, nach einer kleinen Ewigkeit, legt er den Hörer beiseite, zündet mit provokanter Langeweile die nächste Zigarette an und hört uns zu. Wir wiederholen, was Jessica schon am Telefon gesagt hat: Wer wir sind, was wir hier machen, daß dies unsere Studenten sind und wir für sie bürgen. »Ja ja, kein Problem, sie können die beiden gleich mitnehmen, das Ganze war ein Mißverständnis. Bei uns gibt es so was nicht.« Er macht eine Kopfbewegung in Richtung Leila, eine Geste, die Jessica zur Weißglut bringt. Sie setzt gerade an, etwas Deftiges zu erwidern, doch Ammar beschwichtigt sie: »Ist schon in Ordnung, Jessica, laß uns gehen.«

Abgang Ammar, Leila, Mariwan, Jessica und Susanne, Ende des Minidramoletts.

Draußen macht Jessica ihrer Wut Luft. »Was soll das heißen, hier gibt es so was nicht? Natürlich gibt es das. Die Frau von Barzani, immerhin Präsident der kurdischen Regionalregierung, trägt den *Kheli*, den Gesichtsschleier. Alle Frauen aus deren Clan. Nur hat die noch nie jemand in der Öffentlichkeit gesehen, die dürfen gar nicht erst vor die Tür!« Von Ammar und Leila lassen wir uns erst einmal erzählen, was eigentlich geschehen ist. Ammar hatte mit Leila im Schnellimbiß »MaDonald« gegessen, einer liebevoll gestalteten McDonald's-Kopie gleich um die Ecke von unserer Schule, mit selbstgemaltem Ronald im Fenster, fettigen Pommes und einer kurdischen Version des Big Mac im Angebot. Paul Bremer, der Chef der amerikanischen Übergangsverwaltung, die in Bagdad nach Saddams Sturz die Geschäfte führte, soll höchstpersönlich einmal da gewesen sein. »Das geht nicht«, soll er den Besitzer, einen aus Schweden zurückgekehrten Migranten, gewarnt haben, »ihr könnt nicht einfach Logo und Namen imitieren! Irak ist jetzt eine Demokratie, ihr müßt das Copyright respektieren.« Woraufhin der McDonald's-Epigone dem amerikanischen Statthalter einen Handel angetragen haben soll: »Sobald ihr Osama Bin Laden gefangen habt, mache ich meinen Laden zu.«

Als Ammar und Leila das Lokal verließen, kam ein Polizist auf sie zu und fragte nach ihren Ausweisen, auf kurdisch, was die beiden nicht verstanden. Sie antworteten auf arabisch, versuchten zu erklären, daß sie zur Journalistenschule um die Ecke gehörten, was wiederum der Polizist nicht verstand, da der nur Kurdisch sprach. Sie zeigten ihm ihre Ausweise, da sie vermuteten, das sei, was er sehen wollte, doch das machte alles nur noch schlimmer: Als der Polizist das Wort *Falludscha* las, erlitt er fast einen Kollaps: »Terroristen!« blitzte ihm durchs Hirn, panisch rief er Kollegen herbei, gemeinsam brachten sie die beiden aufs Revier.

»Habt ihr je von einem Terroristen gehört, der seine vollverschleierte Frau mitbringt, um größtmögliche Aufmerksamkeit auf sich zu ziehen?« fragt Jessica. »Logisches Denken ist nicht die größte Stärke der hiesigen Polizei«, erwidere ich. »Als mein Exfreund und ich auf der Rückreise von Bagdad in Suleimania Station machten, wurde unser Auto – deutsches Kennzeichen! – abgeschleppt, weil sie wegen des vielen Gepäcks befürchteten, es sei voller Sprengstoff. Und weißt du, wohin sie das Auto, das sie für eine Bombe hielten, geschleppt haben? Mitten ins Polizeihauptquartier, vor das Fenster des Generals!«

Mariwan übersetzt Ammar und Leila die kleine Anekdote, und sie lachen. »Es tut mir so leid«, sagt Jessica immer wieder, doch Ammar und Leila wirken weit weniger aufgebracht als sie. »Gräme dich nicht, Jessica«, sagt Ammar, »das ist mein Leben. Ich komme aus Falludscha.«

Wir bringen die beiden zum Gästehaus, verabschieden uns und fahren mit Verspätung zu Ferhads Hochzeit. Gerade noch rechtzeitig, um den Einzug von Braut und Bräutigam in den Festsaal zu sehen.

Und was tragen die anderen Gäste, vor allem die Frauen nun zur Feier? Die älteren überwiegend klassisch kurdische Festgewänder, viel Stoff in grellen Farben, der die Frau vom Hals bis zu den Knöcheln einhüllt. Die jüngeren aber zeigen keß Schulter und Dekolleté; mit ihnen verglichen sind wir eher konservativ gekleidet, was aber unserer gedeckten Stimmung entspricht. Zu sprühender Festlaune schaffen wir es nicht mehr an diesem Abend.

Die Braut wirkt so ernst, dabei wissen wir, daß es, keineswegs selbstverständlich, eine Liebesheirat ist, daß er und sie lange auf diesen Moment gewartet haben. Immer wieder fordern uns die anderen Gäste auf, in den Tanzreigen aufzuschließen, der sich quer durch den Saal schiebt. Aber ich mag nicht.

Es ist ungerecht Ferhad gegenüber, denn der kann für die Unbill, die Ammar und Leila widerfahren ist, nichts. Aber manchmal entzündet sich ein latentes Gefühl halt an einem Zufallsfunken und lodert hoch, ohne daß ich viel dagegen unternehmen kann. Und wer besitzt schon das Talent des

Mister Aufziehvogel aus Murakamis gleichnamigen Roman? Wenn dem etwas Unangenehmes widerfuhr, fror er seine Empfindungen einfach ein. Wenn er sie später wieder auftaute, war die Verwirrung meist vorbei. »Die Zeit entzieht den meisten Dingen ihr Gift und macht sie harmlos.«

Mir gelingt das nicht. So gut wie nie und heute schon gar nicht. Plötzlich scheint mir selbst der harmlose Kurdentanz – alle fassen einander bei der Hand und gehen im Kreis, schön im Takt, Schultern rauf und Schultern runter, bitte niemand aus der Reihe tanzen – ein Symbol für den herrschenden Zwang zur Konformität. Anderssein, selbst in Gestalt überdurchschnittlicher Traditionalität wie bei Ammar und Leila, ist unerwünscht, befremdet, bringt im Zweifel Ärger ein. Gut, die beiden sind »nur« verhaftet worden, und das kurz. In Falludscha wird, wer als fremd auffällt, nicht angestarrt oder zur Polizei gebracht, sondern am ehesten geköpft oder erschossen.

Trotzdem wirbelt der Vorfall unerwartet alle Irritationen hoch, die sich über die Monate aufgehäufelt haben. Was ich sonst oft nur als leichtes Unbehagen wahrnehme, ein diffuses Gefühl ohne Richtung und Adressat, kann ich jetzt genauer fassen: Mich stört der Erwartungsdruck, alle mögen es allen gleichtun, als gäbe es nur einen möglichen Lebensweg. Seitenpfade ausgeschlossen. Allein die Reaktionen darauf, daß ich keine Kinder habe. Die mitleidigen Blicke, das unvermeidliche *Inscha 'Allah* mit zum Himmel gerichtetem Blick. Mein Einwand, daß ich als Mutter kaum hier wäre und irakische Journalisten unterrichtete, leuchtet den meisten zwar ein. Doch es bleibt das Gefühl, ich entzöge mich meiner Bestimmung als Frau. Nein, mir ist heute abend nicht nach großer kurdischer Gesellschaft, ich will nach Hause. Jessica und Tiare auch.

Zum Glück belagern Großfamilie und Freunde das Brautpaar so intensiv, unser Abschied fällt kaum auf. Zu Hause schlüpfen wir aus unserer Festgarderobe und sinken im Jogginganzug aufs gelbe Sofa. Mit der Fernbedienung zappen wir uns per Satellit nach Amerika. Krimis, Talkshows, dösige Comedy, völlig egal. Nur nichts Kurdisches oder Irakisches mehr heute nacht.

Alien – vom Fremdsein

Das mit dem Arabischunterricht hat nicht geklappt. Trotzdem wird Niaz mein Lehrer, oder besser: mein Lotse durch das Labyrinth kurdischer Befindlichkeit. Mein Dolmetscher der kleinen Dinge. 24 Jahre in Europa haben ihn seiner Heimat ausreichend fremd werden lassen, sie zumindest in Ausschnitten mit meinen Augen zu sehen. Anders als ich kennt und versteht er aber auch die andere Seite, weiß Bescheid über kurdische Mentalität, Gebräuche, Ängste, Vorurteile und kann mir Gesten, Blicke, Worte deuten, die ich einfach nur befremdlich finde.

Zum Beispiel dieses unverhohlene Starren, sobald ich auf

die Straße gehe. Jeder – und jede – schaut mich an. Nicht feindselig, die Blicke machen keine Angst. Es ist einfach nur Neugier, ungemildert durch Scham oder Diskretion.

Bin ich allein unterwegs, laufe ich inzwischen fast blind zu meinem Ziel, in planvoller Ignoranz der mir folgenden Augenpaare. Weil ich der Blicke müde bin und weil wohl kein Mensch auf Dauer erträgt, sich wie ein grüngepunktetes Zebra auf Freigang zu fühlen.

Ich finde mich ja auch gar nicht so anders.

Sicher, ich bin blond und blauäugig, die Kurdinnen sind zu 98 Prozent dunkel. Längenmäßig überrage ich mit 1,72 Meter nicht nur die meisten Frauen, sondern auch viele Männer. Alles in allem aber doch kein Wesen von einem anderen Stern. Zwei Augen habe ich, eine Nase, einen Mund, zwei Beine, zwei Arme, ich trage unauffällige Kleidung, zeige keine nackte Haut, bin deutlich dezenter geschminkt als die einheimischen Frauen, und doch kann ich nicht unbemerkt die Straße queren.

Vielleicht würde ein Kopftuch helfen. Doch ich will mich nicht verkleiden, *under cover* würde ich mich unecht fühlen und überangepaßt. Zumal in Suleimania eher wenige Frauen Kopftuch tragen.

»Vergiß es«, rückt Niaz mein Selbstbild zurecht, »auch wenn du dich nicht so anders findest: Du bist und bleibst ein *Alien*, ein Wesen aus einer anderen Welt.« Auch er, lange Haare, markante Lederjacke, paßt nicht in den schmalen Korridor der kurdischen Norm. Gemeinsam unterwegs, werden wir oft für zwei Ausländer gehalten, bis zu dem Moment, da er zur allgemeinen Verwunderung etwas auf kurdisch sagt.

Mit Niaz an meiner Seite beginne ich wieder auszugehen.

Wir setzen uns zum Tee am Nachmittag in die Lobby des Hotel Ashti – die kommt dem, was wir in Europa unter einem Café verstehen, noch am nächsten – und spielen *Who is Who* in Kurdistan: Der mit den langen weißen Haaren? Ein berühmter Sänger, dessen Frau gerade gestorben und aus Schweden zur Beisetzung in Heimaterde überführt worden ist. Und der neben ihm? Der Minister für Kultur, noch, denn bei der Parlamentswahl am 15. Dezember wird er es wagen, offen nicht für die herrschende PUK zu stimmen. Das schnelle Ende einer Karriere. Und der? Ein Philosophieprofessor, der eigentlich in Erbil lehrte, bis er einen Essay über verdeckte Homosexualität in Kurdistan schrieb, der zum Skandal geriet; kurz darauf wachte er nachts von Brandgeruch auf: In seiner Bibliothek war aus ungeklärter Ursache ein Feuer ausgebrochen. Seither lebt und lehrt er in Suleimania.

Am Nachbartisch ein Schriftsteller, dort ein Maler, ein Filmemacher, eine Schauspielerin. Eine buntere Schar, als ich vermutet hätte. Niaz, selbst Künstler und Dozent an der Universität von Suleimania, kennt fast alle Maler, Galeristen, Musiker von Rang. Eine kleine Szene zwar, aber immerhin: In Souterrains, umgebauten Industriebaracken und Hinterhöfen entdecke ich ein mir bis dahin unbekanntes Kurdistan, mit Vernissagen, Theaterpremieren, Konzerten. Kein Ersatz für das städtische Leben daheim, aber doch ein Lichtblick.

Er macht mich mit seinen Freunden bekannt, viele von ihnen Rückkehrer oder Rückkehrer auf Probe wie er. Sie sehen ihre Heimat nach mehr als 20 Jahren Exil zum erstenmal, haben längst deutsche, britische, dänische Pässe und Kinder, die in den Krankenhäusern von London, Passau, Kopenhagen zur Welt gekommen sind.

Eines Abends sitzen wir zu neunt um einen Küchentisch, vier Frauen und fünf Männer, bei Kerzenlicht, da der Strom mal wieder ausgefallen ist und niemand Lust auf das Rattern des Generators hat. Bei Fisch und Bier mäandert die Unterhaltung zwischen den Vor- und Nachteilen des britischen

Schulsystems, der psychologischen Spätwirkung der Massenvertreibungen aus kurdischen Dörfern in den Achtzigern und Gerüchten über Wahlbetrug beim irakischen Verfassungsreferendum. So oft und so schnell wie die Themen wechseln die Sprachen; als säßen wir nicht in einer Küche in Kurdistan, sondern in der Kantine des Europaparlaments, schwirren Deutsch, Englisch, Dänisch, Schwedisch durcheinander. Nur das Kurdisch, in das sie immer wieder verfallen, erinnert daran, wo wir sind.

Neue Geschichten wandern um den Tisch, jetzt aus den Jahren, als die Männer unter den Gästen als *Peschmerga* in den Bergen lebten; Erinnerungen an gemeinsame Zeit in diversen Gefängnissen, an abenteuerliche Fußmärsche über schneebedecktes Gebirge. Ich erfahre, daß Niaz zu Fuß im Winter 1982 über die Berge in den Iran lief und dort beinahe als Spion erschossen worden wäre, weil ihm den Gewaltmarsch niemand glaubte; aller menschlichen Logik nach hätte er unterwegs erfrieren müssen. Und es herrschte ja Krieg zwischen Iran und Irak. Im Internierungslager nördlich von Teheran, in das er schließlich gebracht wurde, traf er alte Freunde aus Suleimania wieder; einer von ihnen sitzt heute abend ebenfalls am Tisch. So ähnlich stelle ich mir die Begegnungen meines Vater mit dem einzigen noch lebenden Freund aus seiner Zeit als Kriegsgefangener in Rußland vor.

»Weißt du noch …«

»… wie wir aus allem, dessen wir habhaft wurden, Kunstwerke machten?«

»Skulpturen aus Seife, Draht, Stoffetzen und Schnürsenkeln.«

»Die Wächter nahmen sie uns ständig weg …«

»… aber wir fanden immer wieder neues Material.«

Dann holt das Heute die Erinnerungsgemeinschaft in der kerzenbeschienenen Küche wieder ein. Er werde nächsten

Monat nach England zurückkehren, kündigt einer der Gäste an, er habe die Nase voll von den Seilschaften, der Korruption, dem regierenden Mittelmaß und habe seinen Traum vom Neuanfang in der alten Heimat abgehakt.

Mit großen Erwartungen und stechender Sehnsucht im Gepäck waren die Rückkehrer gekommen. Doch als ich sie treffe, sind die meisten schon ernüchtert. Desillusioniert. Ihr mit euren Ideen aus … Deutschland, England, Dänemark! hören sie, wann immer sie in ihrem Sprengel – Behörde, Firma, Unifakultät – etwas ändern wollen. Und fühlen sich bald als Don Quijote wider Willen: Kämpfer gegen Windmühlen, wo sie doch helfen wollen. In der Fremde hatten sie vom Moment der Rückkehr geträumt, sich ausgemalt, wie sie für ihren Entschluß zurückzukommen respektiert und belohnt würden. Statt dessen: Widerstand und Zurückweisung.

Angst um die eigene Position, reflexhafte Verteidigung der eigenen Lebensleistung, Neid, vom Kopf her ahnen die Rückkehrer, was hinter der Ablehnung steckt. Der Bauch aber ist enttäuscht. Und Heimat ist nun mal zuerst ein Bauchgefühl.

»Auf eine Art seid ihr hier genauso Fremde wie ich«, stelle ich verwundert fest.

»Mit einem Unterschied«, sagt Niaz. »Du magst hier ein *Alien* sein. Aber du weißt, wo deine Heimat liegt, und kannst jederzeit zurück. Wenn wir feststellen, daß wir hier nicht mehr leben können – wohin gehören wir dann?«

Formal sind sie alle Europäer. Und als solche werden sie hier in Kurdistan ja auch stigmatisiert: keine echten Kurden mehr, keine von uns.

Das gleiche Gefühl aber geben wir ihnen in Europa: keine von uns. Der Paß allein garantiert keine Akzeptanz.

»Du glaubst nicht, wie sehr sich unser Leben in Europa nach dem 11. September 2001 verändert hat«, sagt Niaz. Immer häufiger habe er in Bars und Kneipen zu hören bekommen: »Du kommst hier nicht rein!« Auf offener Straße sei er als »Terrorist« beschimpft worden – nicht etwa in der dänischen Provinz, sondern in Kopenhagen, der Hauptstadt. »Völlig egal, woher du kommst und wie lange du schon in Europa lebst, ob du fließend Dänisch sprichst und als Professor an einer Hochschule unterrichtest: Mit schwarzem Haar und dunkler Haut bleibst du der *bad guy*.« Gern würde ich widersprechen und versichern, daß das in Deutschland ganz anders sei. Aber kann ich das? Unser Nachbarland Dänemark ist, wie ich also im Irak lerne, sicher ein Sonderfall in Europa, mit einer regierungsamtlich sanktionierten Fremdenfeindlichkeit, die eigentlich vor den Europäischen Gerichtshof gehört. Aber mit Niaz nach Brandenburg fahren? Nach Usedom? Dort mußte ich, obwohl blond und blauäugig, schon wegen eines Hamburger Kennzeichens am Auto vor Baseballschläger schwingenden Skinheads fliehen. Wie relativ doch der Begriff des Fremden ist.

Spätestens nach dem Selbstmordanschlag auf die Londoner U-Bahn im Juli 2005 war Niaz klar, daß sein Leben in Dänemark, vermutlich in ganz Europa fortan immer im Schatten des Terrorismus stehen wird. Einer der Gründe, weshalb er prüfen will, wie kompatibel er und seine alte Heimat noch sind. »Ich habe keine Lust mehr zu erklären, daß nicht jeder Muslim ein Terrorist und der Islam nicht per se eine blutrünstige Religion ist. Ich glaube doch selbst nicht einmal an Gott!«

Als Terroristin zumindest verdächtigt mich im Irak niemand – obwohl es inzwischen deutsche Frauen gibt, die im Internet ankündigen, als Gotteskriegerinnen in den Irak ziehen und sich dort in die Luft jagen zu wollen. Mein Anderssein macht, im kleineren Stil, trotzdem nervös. Den Verkäufer im Supermarkt etwa, den ich anmaulen will, weil er eine Ewigkeit für eine winzige Abrechnung braucht: Drei DVDs je 4200 Dinar zu addieren kann doch nicht so schwer sein! Niaz hält mich zurück. »Du bist gewiß die erste blonde Frau, die erste Ausländerin, die leibhaftig vor ihm steht. Siehst du nicht, wie nervös er ist? Laß mich mal machen.« Ich trete beiseite, Niaz übernimmt auf kurdisch das Gespräch, und plötzlich geht alles ganz schnell.

Meine Anwesenheit verunsichert. Wie redet man mit so einer? Was wiederum mich verunsichert: Warum redet keiner mit mir, stellt kaum einer Fragen, ist niemand neugierig auf meine Welt? Niaz könnte ja jederzeit übersetzen. »Dein Besuch war für sie eine große Ehre«, tröstet er mich nach einem Besuch bei Verwandten im Dorf. »Sonst hätten sie kaum ein Schaf geschlachtet nur für uns. Aber sie wissen nicht, wie sie mit dir umgehen sollen, was im Gespräch mit einer Europäerin angemessen ist. Bevor sie dich brüskieren oder verlegen machen, fragen sie lieber nichts.«

Natürlich, die Scham. Worüber darf man reden, worüber nicht? Ein von der Globalisierung unberührtes Reservat nationaler Eigenheit.

Gefühle zum Beispiel. Ärger, Wut, Enttäuschung logieren, anders als bei uns, fast völlig im verborgenen. Wer wegen irgendwas zürnt oder hadert, sagt und – schlimmer noch – zeigt das nicht. Was es für uns oft schwierig macht, Konflikte richtig zu taxieren. »Warum hast du dich nicht bei mir entschuldigt?» klagte Mariwan in einem ungewöhnlichen Akt der Überwindung einmal bei Jessica nach einem Streit, den sie gar nicht als Streit empfunden hatte. »Wieso entschuldigen? Ich wußte gar nicht, daß du sauer bist. Auf mich wirktest du völlig okay.«

Wie auf Wut reagieren, die sich nicht zeigt? Die sich im stillen sammelt wie eine unterirdische Quelle, bis sie irgendwann mit Wucht ins Freie bricht? Im Widerstand gegen Saddam, wo jedes Wort zuviel, ein unbedachtes Zukken im Mundwinkel Haft und Folter bringen konnten, war es sicher hilfreich, zu jedem Augenblick Schleusenwärter seiner Gefühle zu sein. Doch im täglichen Miteinander, unter Freunden, Kollegen, Mitbewohnern? Jessica, Tiare und ich mögen das »Was ist los?«-Raten nicht, lernen aber: Mit unserem Gegenmodell des direkten Fragens kommen wir nicht weit. Alles prima, kein Problem: Kaum angesprochen, verschwindet der Konflikt hinter einer Nebelwand aus leugnender Beschwichtigung.

Wie auf dem Marktplatz werden dagegen unsere Tabus verhandelt. Schlankweg vergleichen unsere kurdischen Kollegen ihre Gehälter; vom Finanzdirektor bis zum Fahrer weiß jeder, was der andere verdient. Was er im Job zuvor verdient hat und was die Frau, der Vater, der Schwiegervater verdienen. Ungewohnt auch die gern im großen Kreis geführte Erörterung, ob man ab- oder, unangenehmer noch, zugenommen habe. Konto- und Kiloständе, in Kurdistan kein Anlaß für Diskretion.

Auch der Tod kommt laut und öffentlich.

Eines Morgens wache ich durch markerschütternde Schreie auf. Ein langgezogenes Heulen erst, dann eine zweite Stimme, eine dritte, schließlich klagt ein ganzer Frauenchor, fest entschlossen, die Stadt mit einem Lied der Verzweiflung zu wecken. Im Haus gegenüber ist ein alter Mann gestorben, nach langer Krankheit, nicht unerwartet. In Kurdistan sterben die Menschen noch zu Hause, nicht auf der Intensivstation, im Hospiz oder im Altersheim. Besser? Humaner? Auf jeden Fall direkter, der Tod und die ihm folgenden Rituale finden unmittelbar vor unserer Haustür statt. Keine zwei Stunden nach dem Klagegesang stauen sich in unserer Gasse die Autos der Kondolenzbesucher, strömen Verwandte, Freunde, Bekannte und Nachbarn des Toten zum Haus mit dem schwarzen Trauerflor. Der Islam schreibt die Bestattung noch am selben Tag vor, und so wird der Tote wenige Stunden nach seinem letzten Atemzug ins Grab gebracht. Ich komme mir vor wie im Kino, vermutlich weil man so etwas im wirklichen Leben nicht sieht in Deutschland, jedenfalls nicht in der Großstadt: Totenträger, die den Leichnam nur in ein weißes Tuch gehüllt aus dem Haus tragen, ihn auf der offenen Ladefläche eines Kleinlasters in einen Metallkorb legen und zum Leichenwäscher fahren. Damit aber ist der Tod und dessen Vergegenwärtigung keineswegs zum Friedhof entschwunden. Drei volle Tage kauert das Haus unserer Nachbarn unter fürsorglicher Belagerung. Erst kommen die Männer, dann die Frauen; die Trennung der Geschlechter hat über das Leben hinaus Bestand.

»Meine Familie hat das schon zweimal für mich durchgemacht«, sagt Shirwan, der plötzlich neben mir steht, als ich von unserem Tor aus das Gewusel gegenüber beobachte. Ich habe ihn nicht kommen hören, niemand kann sich so lautlos anschleichen wie unser Sicherheitschef. »Zweimal haben sie mich für tot erklärt, zweimal kamen Familie und Freunde zusammen, um mich zu beweinen.« Er zündet sich eine Zigarette an, eigentlich raucht er fast immer.

Er hat ein paar Jahre lang als *Peschmerga* gekämpft, das wußte ich, aber keine Einzelheiten. Totgeglaubt? Gleich zweimal? »Du läufst nicht nur wie eine Katze, du hast auch die berühmten sieben Leben, was?« Er lacht. »Zweimal totgeglaubt, zweimal zum Tode verurteilt, einem Mordversuch entkommen, bleiben noch zwei. Immerhin!«

Wieder ein Leben wie ein Roman, beiläufig aufgefächert bei einer Zigarette vor dem Tor. Unser stiller Shirwan, der außer den Wachen auch unsere Finanzen verwaltet, mit der für Buchhalter unerläßlichen Geduld fürs Detail. Bis spät in die Nacht sortiert er oft Quittungen, korrigiert Tabellen, kalkuliert das Budget – was für ein Abenteurerleben hat er vor seinem Schreibtischdasein geführt?

Die erste Nachricht von Shirwans vermeintlichem Tod

ereilte seine Familie im Jahr 1987, aus Takieh, einem kleinen Dorf etwa 50 Kilometer südlich von Suleimania. Ein Angriff der irakischen Luftwaffe tötete viele kurdische Kämpfer in dem Dorf, darunter auch Shirwan, so die Nachricht an die Familie. Sofort sammelten sich Trauergäste im Haus der Eltern, Shirwans Schwester aber schickte einen Kundschafter los, des Bruders Schicksal zu eruieren. Der fand mit einigen Mühen heraus, daß Shirwan dem Angriff entkommen und in ein entlegeneres Dorf geflüchtet war. Die Trauergäste konnten nach Hause gehen.

Zum zweitenmal starb Shirwan angeblich 1988 bei einem Giftgasangriff auf eine *Peschmerga*-Stellung nahe der Grenze zum Iran. Man habe ihn schwerverletzt ins Nachbarland evakuiert, wo er vermutlich den Verletzungen erlegen sei. Wieder kamen die Trauergäste, wieder schickte die Schwester den Kundschafter los, der zurückkehrte mit der frohen Botschaft: alles Gerüchte, nichts davon wahr. Shirwan lebte, angeschlagen vom Giftgas zwar, ansonsten aber wohlauf.

Shirwan zündet sich die nächste Zigarette an. Noch immer stehen wir vor dem Tor, noch immer strömen die Trauergäste zum Nachbarhaus. Und Shirwan erzählt. Wie er 1989 festgenommen wurde, als er herabstieg aus einem *Peschmerga*-Camp in den Bergen, um seine Familie, vor allem seine Mutter zu besuchen, die ihn nun schon zweimal fast beerdigt, aber seit einer halben Ewigkeit nicht lebend gesehen hatte. Als er die irakischen Soldaten erspähte, warf er ein Foto, das ihn mit Gewehr posierend im Kreis von Kameraden zeigte, gerade noch fort; sie fanden es trotzdem. Er gab vor, ihnen freiwillig in die Arme gelaufen zu sein, er habe im Radio von der Amnestie gehört, die allen reuigen Kämpfern versprochen wurde, und wolle sich stellen.

Trotzdem brachten sie ihn nach Bagdad, zwei Monate ins Geheimdienstgefängnis in Kadhimiya, einen Monat nach Abu Ghreib. Dort verurteilten sie ihn. Tod durch Erschießen. Der Offizier, der ihm das Urteil verkündete, sei völlig verwirrt gewesen, als Shirwan nicht die erwartete Reaktion zeigte. »Wieso lächelst du? Hast du mich nicht verstanden – du wirst sterben, heute noch. Warum weinst du nicht?«

»Wer hierher kommt, erwartet nichts anderes als den Tod«, wiederholt Shirwan mit ruhiger Stimme seine Worte von damals. Ich glaube ihm sofort, auch wenn die alte Garde der *Peschmerga* gern einen gewissen Heldenmythos pflegt; schon ihr Name bedeutet ja »die vor dem Tod Stehenden«.

Wäre der Tod ein Haus, Shirwan hätte mit einem Fuß bei ihm auf der Schwelle gestanden, mit dem zweiten sogar schon im Flur, bereit, sein Leben an der Garderobe abzulegen. Einige Stunden nach der Urteilsverkündung ließ der Offizier ihn wieder aus der Zelle holen. Jetzt war es soweit, nun würden sie ihn erschießen. Shirwan schloß innerlich mit allem Irdischen ab.

Ich sehe Shirwan von der Seite an, während er sich des Moments erinnert, der jeden, der ihn erfährt, prägen muß. Was ist einem im Leben wichtig, der dem Tod so nah war? Ich teile ein Büro mit Shirwan und weiß, über den Bildschirm seines Computers wandern den ganzen Tag Fotos von seinem kleinen Sohn, dem er den Namen *Rosh* gegeben hatte, kurdisch für »Tag« oder »Sonne«. Mit Frau und Kind lebt er in einem bescheidenen Häuschen, vor ein paar Wochen hat er ein Gebrauchtauto gekauft, obwohl er keinen gültigen Führerschein besitzt. Den zu erwerben ist in der kurdischen Bürokratie hochkompliziert, weshalb viele einfach ohne fahren. Ist er gläubig? Hat die Todesnähe ihn gläubig gemacht? Ich weiß es nicht. Religion gehört zu den Themen, über die wir im Büro zwar häufig alle miteinander allgemein diskutieren, eher selten aber konkret und individuell. Von einigen weiß ich, daß sie nicht glauben, von anderen ahne ich es, bei anderen wie bei Shirwan tappe ich, was Gott betrifft, im dunkeln. Und eigentlich gefällt mir das, denn das Recht, den eigenen Glauben privat zu halten, ist in dieser Weltgegend gar nicht vorgesehen.

Shirwan wurde von dem Offizier in denselben Raum geführt, in dem man ihm das Todesurteil verkündet hatte. Doch statt Gewehrsalven hörte er das Zauberwort: *Afu*, Amnestie. »Du bist begnadigt, heute abend wirst du entlassen«, sagte der Offizier. Bis zu dem Augenblick, als sich das Gefängnistor hinter ihm schloß, dachte er, sie wollten ihn nur noch einmal grausam in falscher Sicherheit wiegen aus Ärger über seine Seelenruhe – und ihn dann doch erschießen. Doch er wurde tatsächlich entlassen und durfte zu seiner Familie in Suleimania reisen. Nach nur 20 Tagen wurde er erneut verhaftet, diesmal als Deserteur, »denn anstatt meinen Wehrdienst bei der irakischen Armee zu leisten, war ich ja zu den *Peschmerga* gegangen, darauf stand natürlich der Tod.«

Vor der Vollstreckung retteten ihn dieses Mal sein Onkel und dessen gute Beziehungen zu einem irakischen Geheimdienstoffizier in Tikrit. Auf verschlungenen Wegen verschwand Shirwans Akte; in der neu angelegten wurde er als einfacher Deserteur ohne *Peschmerga*-Vergangenheit eingestuft, wenig später war er frei.

Er verdankt seinem Onkel sein Leben! Jetzt wird mir einiges klar. Wie oft hatte ich von Shirwan gehört, er könne heute nicht oder erst später ins Büro kommen oder müsse früher weg, sein Onkel habe ihn um diesen oder jenen Gefallen gebeten. Bis mir einmal der Geduldsfaden riß und ich widersprach, nein, heute geht es wirklich nicht, Familienbande hin oder her: Du arbeitest für uns und nicht für deinen Onkel. Daraufhin sah Shirwan so unglücklich aus, daß mich tagelang mein Gewissen plagte. Doch woher sollte ich wissen, daß nicht der übliche kurdische Großfamilienklüngel Shirwan zum loyalen Diener seines Onkels machte? Im stillen gelobe ich, nie wieder nein zu sagen, sollte Shirwan Zeit für seinen Onkel brauchen.

»Und der Mordversuch?« frage ich. Hing der auch mit seiner Vergangenheit als *Peschmerga* zusammen? Hatte Saddam ihm, nach Begnadigung und Freispruch, einen Meuchelmörder geschickt? »Nein«, antwortet Shirwan, »das geschah lange nach dem Ende von Saddams Macht in Kurdistan, in Erbil. Das waren Barzanis Leute, es ist noch gar nicht so lange her, ein paar Jahre nur.«

Warum sollten Häscher des kurdischen Präsidenten ihm nach dem Leben trachten? Shirwan zuckt mit den Schultern. »Ein Mißverständnis? Ich weiß bis heute nicht, warum. Aber Barzani hat sich persönlich bei mir entschuldigt.« Als wäre damit alles gesagt über den Mordversuch, über sein früheres Leben überhaupt, dreht er sich um und kehrt an seinen Schreibtisch zurück.

Auf der anderen Straßenseite strömen weiter die Gäste ins Haus. Trauernde, die einen echten Toten zu beklagen haben.

WINTER

Rascha Ba – Kalter Wind in schwerer Zeit

Mein Sehnsuchtswort im Winter: Zentralheizung. Die gibt es im Land mit den zweitgrößten Ölreserven der Welt nämlich nicht. Auch wenn »Irak« in der Regel an Palmen, Hitze, Wüste denken läßt: In Suleimania wird es winters richtig kalt. Der *rascha ba*, der schwarze Wind aus Norden, hüllt die Stadt von November bis Februar in ein Gewand aus Frost, bedeckt die umliegenden Berge mit einem Tuch aus Schnee.

Gibt es Strom, stellen wir kleine Elektrostrahler auf. Deren Hitze reicht aber keine zwei Meter weit, und sie brauchen eben – Strom. Im Irak Mangelware. Die heimische Alternative heißt Kerosinofen und läßt uns Großstadtfrauen aus dem Westen gruseln. Qualmende, stinkende Ungetüme die umfallen und das Haus in Brand setzen können? Unheimlich sind mir die Öfen schon deshalb, weil ich sie mit der unter Kurdinnen erschreckend häufigen Selbstmordmethode assoziiere: Wie oft hatten wir von Frauen gehört, die sich mit Kerosin übergossen und angezündet haben. Weil sie in ihrer Ehe unglücklich waren, den prügelnden Mann nicht mehr ertrugen, manchmal genügte angeblich schon ein Streit mit der Mutter für die Verzweiflungstat. Die Motivsuche ist schwierig; oft schieben die Familien Krankheit – Depression, Schizophrenie, Unzurechnungsfähigkeit – oder einen Unfall vor. Vermutlich ein unterschwelliger Grund, warum ich die Öfen für so gefährlich halte, dabei glaube ich nicht im geringsten an die Mär von der versehentlichen Selbstverbrennung.

»Kommen uns nicht ins Haus«, verfügen wir Frauen einhellig, auch im Büro wollen wir sie nicht. Ein dicker Pullover, warme Socken und ab und an der Heizstrahler – so stellen wir uns den kerosinfreien Winter vor.

Unsere kurdischen Kollegen sind entsetzt. Das haltet ihr nicht durch, prophezeien sie, ihr werdet schon sehen, was es mit dem Winter hier auf sich hat. Bei sich denken sie, »Die spinnen, diese Ausländer«, das ist kaum zu übersehen, aber wir wanken nicht. Noch nicht.

Es wird kalt. Sehr kalt. Gar nicht mal auf dem Thermometer, das zeigt selten unter null Grad. Doch durch die Kombination aus Wind, Regen und einem Haus, dessen Türen und Fenster etwa so dicht schließen wie ein Schuhkarton, liegt die gefühlte Temperatur eher im arktischen Bereich.

Wehmütig denke ich an den Öltank im Haus meiner Eltern. An die Gastherme in meiner Hamburger Wohnung. An den Thermostat, an dem ich mit zweimal Knopfdrücken 21 Grad einstelle – und wenig später herrschen wie von

Zauberhand in allen Zimmern 21 Grad, egal wie kalt es draußen ist. Da auch die Warmwasserversorgung an Strom gekoppelt ist, kann ich mich nicht einmal mit einem dampfenden Vollbad trösten; selig die Tage, an denen der Boiler für jeden in der WG eine heiße Dusche hergibt.

Ayub und Mariwan fangen an zu nörgeln. Wenn wir Frauen unbedingt frieren wollen – unser Problem. Aber daß wir Kerosin komplett verbannt haben, auch in ihren Zimmern im obersten Stock die Öfen nicht gestatten wollen, weil der Geruch von da durchs ganze Haus ziehen würde, das geht ihnen zu weit. »Wir haben noch jeden Winter mit Kerosin überstanden, stellt euch nicht so an«, maulen sie, »hier heizen alle so, anders geht es nicht.«

Die Heiz- wird zur Glaubensfrage.

Ayub ist der erste, der den Bann mißachtet, ein paar Tage später folgt Mariwan. Er habe auf dem Markt ein japanisches Modell entdeckt, praktisch geruchsfrei, feuersicher sei es auch, da das Kerosin wie bei einer Öllampe über einen Docht ganz allmählich die Flamme speise aus einem ansonsten geschlossenen Tankbehälter heraus. Ob wir das nicht wenigstens fürs Wohnzimmer probieren wollen?

In Schlafsäcke gewickelt halten wir einen Energiegipfel auf dem gelben Sofa ab. Tiare, ohnehin jede Nacht in Mariwans Zimmer, wo bereits ein Ofen steht, hat ihren Frieden mit dem Kerosin gemacht. Jessica fürchtet eine allergische Reaktion auf die Dämpfe, ist aber willens, den angeblich rauchfreien Japaner zu testen. Und ich bin die kalten Füße und klammen Finger leid; selbst meine Wärmflasche hilft nicht mehr, mit deren Bereitung jede Nacht eine Viertelstunde vor Mitternacht mein Winterritual beginnt: Wasser aufsetzen, dann Zähne putzen, solange es noch Licht gibt im Bad, das heiße Wasser in die Wärmflasche füllen und um zwölf, wenn mit der Stromabschaltung das Haus in Dunkelheit versinkt, schnell ins flaschenvorgewärmte Bett.

»Ein Kerosinofen, sieh an!« spöttelt unser Übersetzer Hadi am nächsten Tag, als er fast über die Neuerwerbung stolpert. »Wurde ja auch Zeit. Dann dürfen wir jetzt auch einen ins Büro stellen?«

Der Beginn einer wunderbaren Freundschaft? Eher eines Zweckbündnisses. Ich stelle mir einen Ofen ins Zimmer, selbst Jessica überwindet ihre Phobie. Wie die drei von der Tankstelle kommen wir uns trotzdem den ganzen Winter über vor: Kleider, Kissen, Bücher, Möbel, über alles legt sich ein feiner öliger Film, auch an uns klebt der Geruch wie ein Schatten. Um so fassungsloser ist Jessica, als sie mich ertappt, wie ich das Metallgitter der Ofenabdeckung als Toaster benutze, wie es auch die Kurden tun: »Okay, Susanne, nun ist es soweit: Du bist offiziell Irakerin!« Mein Ruf als Kerosin-Konvertitin ist zementiert.

Wenigstens gibt es jetzt Wärmeinseln im Haus. Unsere Sofaecke zum Beispiel, die wir gleich mit zwei Kerosinöfen und zwei Heizstrahlern befeuern. Dicht an dicht hocken wir mit unseren Laptops auf der Couch, streifen durchs Internet oder chatten mit Freunden in Hamburg, New York, auf Hawaii. Eine Zentralheizung gibt es nicht – aber drahtloses Internet im ganzen Haus, nebst der Satellitenschüssel auf dem Dach unsere Nabelschnur zur Welt. Auf dem Sofa verschmelzen akustisch die Jahrhunderte. Ins leise Flackern der Kerosinöfen mischt sich das Klackklackklack der Tastaturen, die »Du hast Post«-Plings der Chat-Programme.

»Erzählt mir von zu Hause«, maile ich meinen Freunden: Was kocht ihr, was kauft ihr ein, worüber streitet ihr, was macht euch angst, worüber redet Deutschland? Alles, was mich Alltagswitterung aufnehmen läßt. Gern auch das banale tägliche Kleinklein, das anzuhören ich zu Hause schnell überdrüssig werde, das mir hier am Rande des Wahnsinns aber die beruhigende Gewißheit gibt: Das, was wir gemeinhin unter normalem Leben verstehen, existiert noch. Als müßte ich mit Anekdoten aus der Heimat meinen Rückfahrschein immer wieder gültig stempeln.

Unser warmes, vernetztes Wohnzimmer ist bald ein bei Freunden und Kollegen beliebter Platz, besonders wenn live aus dem Gerichtssaal in Bagdad der Prozeß gegen Saddam Hussein übertragen wird. Mit Bier, Chips und Schokolade feiern unsere Jungs jede Sitzung, voller Stolz auf die Obersten Richter, ein Kurde aus Suleimania erst, dann einer aus Halabja. Der Starrsinn, mit dem Saddam und seine Mitangeklagten dem Gericht jeden Respekt verweigern, verwandelt die eigentlich hochernste Angelegenheit bisweilen in eine Sitcom, den Gerichtssaal in einen Big-Brother-Container – mit Spannung warten wir: Wer fliegt heute wegen schlechter Führung raus?

Ebenfalls auf der gelben Couch nehmen wir jede Woche unser interkulturelles Freitagsfrühstück ein: amerikanische Pfannkuchen mit irakischer Büffelmilchcreme und Granatäpfeln aus Halabja. *Comfort food* nennt Tiare das, Essen für die Seele. Im Schlafanzug vor dem Fernseher lagernd gukken wir dazu Nachrichten auf *BBC* oder heile Welt auf *Kurdsat*. Kurden beim Picknick, Kurden beim Tanz, Kurden, die ein Loblied singen auf Kurden: Der Regierungssender präsentiert weitgehend unberührt vom realen Geschehen ein Volk im Glück vor pittoresker Landschaft. Kurden gucken Kurden beim Kurdischsein zu, die Perpetuierung eines kollektiven Selbstbilds mit moderner Technologie. Kann, wer am Wochenende nicht zum Picknick fährt, überhaupt Kurde sein?

Ayub und Mariwan verbindet eine Haßliebe mit dem Sender. Als Journalisten sind ihnen die spürbare Hand der Partei, die Nachrichtenarmut, der Propagandaton zuwider. Dem Sog der Bilder aber können sie sich kurioserweise nicht entziehen. Wenn die beiden allein im Wohnzimmer sitzen, schalten sie überraschend häufig *Kurdsat* ein, als bedurften auch sie hin und wieder der Vergewisserung ihrer kurdischen Identität; vielleicht um so stärker, je länger und intensiver sie mit uns Ausländerinnen zusammenleben.

Uns Frauen wird die *Kurdsat*-Welt zum geflügelten Wort: für den amtlich gewünschten Schein vom Glück, aber auch für die uns rätselhafte Duldsamkeit, mit der die Kurden ihr Los ertragen.

Warum stehen sie stoisch an der Tankstelle an, Stunde um Stunde, Tag um Tag, um ihr Auto mit 40 Litern Benzin zu füllen – im Ölland Irak? Warum regen sie sich nicht über armselig ausgestattete Krankenhäuser, zerlöcherte Straßen, schlechte Schulen, die erbärmliche Stromversorgung auf? Woher die unendliche Geduld gegenüber den Verhältnissen und denen, die sie gestalten? Oder besser: verunstalten. Gegen Saddam haben sie doch auch gekämpft, ihn nicht schlicht erduldet. Warum fordern sie ihre Friedensdividende nicht entschiedener ein, sondern nehmen Wahlbetrug, Korruption, Mißwirtschaft und die Allmacht der beiden kurdischen Parteien hin wie der Bauer das Wetter? Immer wieder grübeln wir darüber nach, eine rechte Antwort finden wir nicht.

Ich neige dazu, Schicksalsergebenheit zumindest partiell dem Glauben zuzuschreiben; dies sei *walati qazaw qadr* – das Land, wo Gottes Wille herrscht, erklärt mir auch Niaz ein gewisses Phlegma, mit dem Dinge hingenommen werden. Was aber hat Gott mit der Stromversorgung, mit korrupten Politikern, mit schlampigem Straßenbau zu tun?

Wenigstens die von uns ausgebildeten Journalisten sollen Schmiergelder, Razzien gegen politisch Andersdenkende, auf Demonstranten schießende Polizisten nicht mit einem Schulterzucken hinnehmen, sondern recherchieren, berichten, die Politiker öffentlich zur Verantwortung ziehen. So unsere Hoffnung. Vor uns, vor unseren Schülern liegt ein weiter Weg. Kritisches Denken lernt sich nach Jahrzehnten der Diktatur nicht über Nacht; zu flink noch ist die Schere im Kopf, die früher davor bewahrte, womöglich tödliche Fragen zu stellen, heute aber legitime demokratische Reflexe kupiert. »Stellt euch vor, ihr habt den Energieminister ein paar Minuten lang zum Interview«, fordert Tiare die Studenten ihrer Klasse für Wirtschaftsjournalismus auf. »Was würdet ihr als erstes fragen?« Zur Erinnerung: Täglich gibt es vier Stunden Strom, die durchschnittliche Wartezeit an den Tankstellen liegt bei einem Tag.

»Herr Minister, welche wichtigen Projekte planen Sie für die Zukunft?« schlägt einer vor. »Wie beurteilen Sie die Chancen, daß sich die Stromversorgung bald verbessert?« ein anderer.

»Wie wär's mit: ›Vier Stunden Strom am Tag, Endlosschlangen an den Tankstellen: Was konkret unternimmt der Energieminister, um das zu ändern?‹« fragt Tiare. »Ihr könntet auch fragen: ›Wie viele Stunden Strom am Tag haben Sie, Herr Minister?‹ Oder: ›Wie lange haben Sie zuletzt gebraucht, um Ihr Auto vollzutanken?‹«

Schockstarre Blicke. »Das würden wir uns niemals trauen.«

»Der Minister kann persönlich doch nichts dafür, daß wir keinen Strom haben«, höre ich in einem anderen Kurs. »Aber als Minister trägt er die politische Verantwortung, und bei der müßt ihr ihn packen. Wenn das Energieministerium sich nicht kümmert, wer denn dann? Die entscheiden doch über den Bau oder Nichtbau von Kraftwerken, über die Verteilung des Stroms im Land, über Verträge mit den Nachbarstaaten. Alles Dinge, nach denen ihr fragen könnt. Fragen müßt!«

»Aber die sind doch bestimmt geheim.«

Abends dann Frauenrunde auf der Couch. »Ich spüre, wie das Leben hier mich zu verändern beginnt«, sagt Tiare. »Und ich muß euch sagen: Es macht mir angst.«

»...?«

»Das Land setzt mir zu – auch wenn wir in Suleimania ja

eigentlich sicher sind, jedenfalls vor physischer Gewalt. Aber was ist mit der psychischen Gewalt, die uns ständig umgibt, den vielen negativen Schwingungen? Ist euch mal aufgefallen, wie wenig die Menschen hier lächeln?«

»*No kidding*!« sagt Jessica, »wenn es so was gibt wie eine nationale Depression, dann hier.«

»Neulich habe ich ein paar von den kurdischen Frauen mal gefragt, warum sie immer so ernst gucken«, erzähle ich.

»Und? Was haben sie gesagt?«

»Weil wir nichts zu lachen haben!«

»Ist doch kein Wunder, nach all den Jahren der Gewalt. Wie sollen die Menschen über Nacht plötzlich glücklich sein?« meint Tiare. »Mich erinnert hier viel an Libanon nach dem Bürgerkrieg.« Dort habe ihr eine enge Freundin nach fünf Jahren en passant die Geschichte ihres Vater erzählt: dreimal entführt während des Kriegs, jedesmal für mehrere Wochen verschwunden, und sie hatte keine Ahnung, wohin und warum, merkte nur, daß der Vater, wenn er zurückkam, von Mal zu Mal seltsamer gewesen sei. »Was stellt das mit dir an, wenn du als Achtjährige mitbekommst, wie dein Vater immer wieder verschwindet, aber keiner redet mit dir darüber?«

»Mit dem Reden haben sie es hier nicht so. Oder habt ihr hier mal was von Psychotherapie gehört?« fragt Jessica.

Tiare schüttelt den Kopf. »Ich weiß nicht einmal, ob es in Suleimania Psychiater oder Psychologen gibt. Das, was wir Trauma oder posttraumatischen Stress nennen, gilt hier doch weitgehend als normal, so viele sind davon betroffen. Im Grunde müßte das ganze Volk auf die Couch.«

»Ich habe mit meiner Therapeutin in New York schon Telefonsitzungen vereinbart!« wirft Jessica ein.

Normalität neu zu definieren und der eigenen Lebenswirklichkeit anzupassen – dieser Mechanismus war mir aus Bagdad vertraut. Auch dort ging inmitten des Grauens das

Alltagsleben weiter, das hat schon manchen davor bewahrt, den Verstand zu verlieren. Wie soll, wer sich den Schrecken der eigenen Lage ständig vor Augen hält, morgens aufstehen, zur Arbeit gehen, sich um die Kinder kümmern?

Menschen gewöhnen sich, damit sie weiterleben können, nicht nur im Irak. Genau das aber bereitet Tiare, bereitet uns allen Unbehagen: Wir wollen uns nicht gewöhnen. Wollen die uns umgebenden Definitionen von Normalität nicht übernehmen. Nicht auf Kosten unserer seelischen Gesundheit, nicht um den Preis unserer Fähigkeit, Entsetzliches auch entsetzlich zu finden. Wir alle fürchten den Tag, an dem wir aufhören uns zu wundern. Denn wir wissen: Dann kommen wir nicht unbeschädigt nach Hause. Die Linie zwischen Robustheit und Verrohung ist dünn im Irak.

Nachdem wir so eine Stunde lang die Untiefen der irakischen Seele und unseres eigenen Gemüts ausgelotet haben, kommt Mariwan mit einem großen Tablett aus der Küche. Frisch gebrauter Tee, eine Schüssel mit frischen Granatapfelkernen und eine Wasserpfeife, gestopft mit unserer Lieblingssorte Apfeltabak.

Gemeinsam sehen wir uns eine Folge der *BBC*-Comedyshow *Little Britain* an, eine von prolligen Vorstadtgören, schwulen Politikberatern, hinterhältigen Rollstuhlfahrern und politisch wunderbar unkorrekten Oberschichtdamen bevölkerte Welt. Und sofort sind alle Gedanken, ob es nicht allmählich Zeit sei heimzukehren, vergessen. Zumindest vorübergehend beiseite geschoben.

Wie sehr ich in Wahrheit noch bleiben will, merke ich, als mich plötzlich verschiedene Leute nach Hause schicken wollen.

Zuerst der Anruf aus London: Finanzkrise, Projekt nicht verlängert, Büro dichtmachen, »Bitte schicke spätestens zum 20. Dezember alle nach Hause.«

Soviel hatte ich inzwischen über die Arbeit von Nichtregierungsorganisationen gelernt: Das Damoklesschwert abrupter Abwicklung verschwindet nie. Oft wußten wir monatelang nicht, ob und wieviel Geld verfügbar sein würde, und wenn dann die Bewilligung kam, mußte am besten alles gestern geschehen sein. Wir sind nur ein winziges Teilchen im großen Puzzle mit dem Titel »Wiederaufbau Irak« und abhängig von größeren Zusammenhängen. Wer für was Geld ausgibt im Irak, ist immer zuerst eine politische Entscheidung und erst in zweiter Linie ein Votum für oder gegen ein konkretes Projekt.

Unsere Arbeit reicht mit vergleichsweise geringem Aufwand weit in die irakische Gesellschaft hinein, quer durch alle Religionen und Provinzen. Doch was nützt das, wenn die Europäer sich generell zieren bei Irak-Projekten und die amerikanische Regierung, bedrängt von einer kriegsmüden Bevölkerung und einem furchteinflößenden Haushaltsdefizit, jeden Dollar für Irak dreimal hinterfragt? Wem sollen wir vorhalten, daß wir mit dem Geld, welches das US-Militär im Irak in einer einzigen Woche verschlingt, unsere kleine Journalistenschule mehr als tausend Jahre finanzieren könnten? Eine naive Milchmädchenrechnung? Immerhin reisen unsere Studenten, wie sie selbst sagen, nach den Kursen mit neuer Hoffnung ab, »daß wir Iraker doch miteinander leben können«.

Nach dem telefonischen Todesurteil hätte ich am liebsten erst mal eine Stunde lang *Kurdsat* geguckt. Unseren Kanal für Eskapismus in allen Lebenslagen. Doch dafür ist jetzt keine Zeit. Eine Strategie muß her, wir brauchen einen Plan, Rat und letztendlich Geld. Denn so verlockend in den zurückliegenden Wochen der Gedanke »nach Hause!« gewesen sein mag: Minuten nach dem Telefongespräch ist mir klar: so nicht. Nicht jetzt. Nicht als Abrißkommando.

Krisensitzung mit der Belegschaft, von meiner Seite das

Versprechen, alles mir Mögliche zu tun, die Schließung zu verhindern, an sie aber dafür die Forderung, nicht in Schockstarre zu verfallen oder sofort einen neuen Job zu suchen. Der einzige, der ankündigt, er habe ohnehin zum Jahreswechsel weniger unterrichten und wieder mehr als Reporter arbeiten wollen, ist Ayub. Alle anderen bleiben, obwohl ich nicht weiß, ob ich sie im nächsten Monat noch bezahlen kann.

»Wir sind eine Familie«, sagt Shirwan, »und das gilt in guten wie in schlechten Zeiten.«

»Geld ist nicht das Wichtigste im Leben«, sagt Dana. »Wir arbeiten gern zusammen, das kann mehr wert sein als ein gutes Gehalt.«

Ich bin aufrichtig gerührt und um so entschlossener, nicht aufzugeben. Eine E-Mail tritt ihre Reise an um die Welt, findet über ein globales Freundes- und Kollegennetz ihren Weg in Zeitungsredaktionen, Stiftungen, Ministerbüros, Diplomatenstuben. Ein Hilferuf ins weitverzweigte Universum der internationalen Helfer, der irgendwie irgendwo irgendwas in Bewegung bringt. Ganz im Detail erfahre ich nie, was uns gerettet hat, aber nach drei Wochen des Bangens wird der Schließbefehl revidiert: Wir dürfen weitermachen, erst mal, mit einem Restrisiko zwar, weil es noch keine endgültigen Zusagen gibt, mit niedrigeren Gehältern und einem etwas kleineren Team. Das Abrißkommando ist gestoppt.

Mitten in diese wirren Wochen platzt eine Nachricht, die mich nicht unmittelbar betrifft, mein Leben aber trotzdem auf ungeahnte Weise verkompliziert: die Entführung der Susanne Osthoff, oder »der anderen Susanne«, wie ich sie bald nenne, weil ich als Deutsche, die auch Susanne heißt, ständig auf sie angesprochen werde.

Am 25. November 2005 verschwindet Susanne Osthoff auf dem Weg von Bagdad nach Erbil, in vielen Nachrichten verballhornt zu »im Nordirak entführt«. Damit fangen meine

Probleme an: »Du hast immer gesagt, im Norden sei es sicher«, mailen mir besorgte Freunde aus Deutschland, »und jetzt wurde da eine Deutsche entführt. Komm bitte bald nach Hause!« In Suleimania hat sich nicht das geringste geändert – und doch scheine ich denen daheim durch die Entführung einer Deutschen über Nacht ungleich stärker bedroht. Hunderte tote Iraker Tag für Tag sind kaum noch eine Meldung wert, das Schicksal einer einzigen Deutschen aber katapultiert das Land zurück auf die Titelseiten.

Ich bin Susanne Osthoff nie begegnet und wünsche ihr, wie allen Geiseln, ein schnelles, glückliches Ende ihrer Gefangenschaft. Nichtsdestotrotz hege ich bald einen beachtlichen Groll gegen die mir unbekannte Frau: Warum hat sie, wenn sie schon nach Bagdad mußte und zurück, nicht den einzig vertretbaren Weg gewählt und ist geflogen? Die Strecke Bagdad – Erbil kostet keine 50 Dollar, Flüge gibt es fast jeden Tag, wenn auch oft um Stunden verspätet. Auch die Fahrt zum Flughafen ist nicht ungefährlich, dauert aber nur eine Viertelstunde, ein überschaubares Risiko im Vergleich zur Reise durch die Unruheprovinzen nördlich von Bagdad.

Weil Susanne Osthoff den riskanten Landweg wählte mit der bekannten Konsequenz, gilt in Deutschland plötzlich jeder, der einen Fuß in den Irak setzt, als verrückt. Das Auswärtige Amt verschärft seine Reisewarnung. Weil die Amtsbürokratie offiziell nicht unterscheiden darf zwischen dem relativ sicheren Kurdistan und dem übrigen Land, bekomme auch ich pflichtgemäß eine E-Mail: »Deutschen Staatsangehörigen wird dringend geraten, das Land zu verlassen. Ich hoffe, Sie kommen ohne Zwischenfälle heil nach Hause.«

Als ich das lese, muß ich an meinen weltweiten Hilferuf nach Spenden denken. Geld aus Deutschland? Darauf brauchen wir nicht zu hoffen; alles, was Deutsche, mit Steuergeld gar, in den Irak bringen könnte, ist bis auf weiteres erledigt. Statt dessen Debatten über Paßentzug, Zwangsausbürgerung; Volkes Stimme würde am liebsten alle im Irak aktiven Deutschen kollektiv in die geschlossene Anstalt einweisen. Nicht einmal in der Endphase meiner Bagdad-Zeit, weit gefährlicher als mein Aufenthalt in Kurdistan, fühlte ich mich so bedrängt, mein Bleiben zu rechtfertigen.

Als habe die Welt sich verschworen, mich zur Heimkehr zu bewegen. Aber ich bin noch nicht so weit.

Brave Heart oder
Warum Alan nicht heiraten will

Nach Hause fuhren wir dann doch. Aber nur zum Weihnachtsurlaub, jedenfalls Tiare und ich, sie nach South Carolina zu ihrer Schwester, ich nach Hamburg und ins Rheinland, wo meine Eltern wohnen. Jessica, die als Jüdin Weihnachten nicht feiert, blieb allein mit Mariwan und Ayub zurück.

Ein Entschluß, von dem ich dringend abgeraten hatte: Wenn uns schon zu dritt zyklisch der Blues überkam, wie würde es ihr erst allein unter Kurden gehen? So sehr wir unsere männlichen Mitbewohner schätzen, reibungslos ist das Multi-Kulti-Wohnen nicht. Besonders Jessica und Ayub geraten oft lautstark aneinander, in Null Komma nichts können sie einander auf die Palme bringen, werfen sich Grobheiten an den Kopf und gegenseitig Kulturimperialismus und Intoleranz vor. Tiare und Mariwan, eher gelassene Temperamente, verziehen sich dann gewöhnlich in den obersten Stock, um nicht zwischen die Fronten zu geraten; schließlich ist Mariwan seit vielen Jahren Ayubs Freund, während Tiare intuitiv Jessicas Position ergreift. Die Wutwogen glätten sich meist schnell, lassen aber mit der Zeit ein gerüttelt Maß an Erschöpfung in der WG zurück.

Trotzdem wollte Jessica ohne uns bleiben. Vielleicht weil sie Angst hatte, führe sie jetzt nach Hause, sie käme nicht zurück. Es war schon schwer genug, die eigenen Dämonen zu besänftigen. Wenn aber die ganze Familie einfiele in den Chor und das immerselbe Lied sänge, Jessica solle endlich nach Hause kommen, bräche die Abwehr garantiert irgendwann zusammen.

Gut ging es ihr nicht allein in Kurdistan. »Es ist dunkel, kalt und einsam hier«, schrieb sie mir in den deutschen Winter, »meine Therapeutin sorgt sich, ich klänge depressiv. Und das Schlimmste: Ich kann hier nichts von dem tun, womit ich in New York schlechte Stimmung vertreibe: Sport, Freunde treffen, ausgehen.«

Das Kuriose: Ich war in Deutschland ebenfalls nicht glücklich. Natürlich freute ich mich, meine Familie zu sehen, meine Freunde, genoß die Weihnachtsgans, das Marzipan, die heiße Badewanne. Trotzdem fühlte ich mich die ganze Zeit wie auf Besuch. Irritierend. Lag es an Niaz? An der noch nicht ganz überwundenen Existenzkrise unserer Journalistenschule? Oder war ich einfach schon zu lange fort, um mich spontan wieder heimisch zu fühlen?

Seltsam, wie wir uns immer auf den Ort beziehen, an dem wir gerade nicht sind. Wie viele meiner Sätze in Suleimania beginnen mit »In Deutschland …«. Spiegelbildlich lautete mein Mantra des Weihnachtsurlaubs »Im Irak …«

oder »In Kurdistan …«. An der Pinnwand über meinem Schreibtisch in Suleimania hängt, von irgendwem zurückgelassen, eine Postkarte. Ein Foto von einem Koffer, darunter handgeschrieben in blauer Tinte: »Sie wurde häufig von der Sehnsucht gepackt, woanders zu sein.«

Nach knapp drei Wochen war ich wieder zurück. Tiare kam ein paar Tage später. Die nächsten Wochen schwelgen wir kulinarisch gesehen im Paradies. Appenzeller, Parmesan und Pecorino, Vollkornbrot, Speck, Salami, Balsamessig, Kräuter der Provence, einen halben Supermarkt haben wir aus der Heimat mitgeschleppt, um dem Einerlei aus Kebab und Reis wenigstens zeitweilig zu entgehen.

Es ist kurios: In den USA tragen alle Städte von der Ost- zur Westküste dasselbe Starbucks-McDonald's-GAP-Gesicht, eine Eintönigkeit, die auch in deutschen Städten immer häufiger wird.

In Kurdistan gibt es keine Ladenketten oder Großkonzerne, und doch gleicht eine Stadt der anderen. Überall dasselbe Essen, dasselbe Angebot im Bazar, und wenn irgendwo ein Supermarkt neu eröffnet, gehen wir längst nicht mehr hin, denn jeder neue Laden spiegelt doch nur exakt das Angebot der bereits vorhandenen wider: Kichererbsen, tausendundeine Bohnenvariante, Tomatenpaste, Reis, Tee, Barilla-Nudeln – irgendwo muß, groß und allmächtig, ein Generalimporteur sitzen, der dem ganzen Land ein Einheitsangebot verschreibt.

Außer einem Berg Lebensmittel bringt Tiare aus den USA eine Droge mit, der wir sofort gemeinschaftlich verfallen: die Fernsehserie *Lost.* Oceanic Flug 815 von Sydney nach Los Angeles stürzt über dem Südpazifik ab, 48 Überlebende finden sich auf einer Insel wieder, die sich als nicht ganz so einsam herausstellt wie anfangs angenommen.

Wie kommen die vom Schicksal zusammengewürfelten Fremden in der Extremsituation miteinander zurecht, wie erschließen sie ihre neue Umgebung, wer vertraut wem, welche Rolle spielt die Vergangenheit für das neue Leben – als hätte einer ein Drehbuch zu den Fragen geschrieben, die auch uns beschäftigen.

In Suleimania gibt es keinen Dschungel, keine Monster; das Gefühl aber, mit Fremden auf einer bizarren Insel gestrandet zu sein, scheint durchaus vertraut. Bewohnt wird die *Lost*-Insel von einer geheimnisumwitterten Gruppe, den »anderen«, was unter den Überlebenden des Flugzeugabsturzes ein starkes Wirgefühl heraufbeschwört. Auch hier ein Wiedererkennungseffekt: Wir hier, die da – trotz individueller Annäherung an einzelne Kurden hat sich dieses Leitmotiv für uns Frauen nie ganz erledigt. Wir wissen mehr als zu Beginn, aber längst nicht alles, was wir lernen, bringt uns die Welt vor unserer Tür näher.

Als Jessica an einem Abend sechs Folgen *Lost* hintereinander sieht, erwägen wir kurzfristig die Gründung einer Selbsthilfegruppe für verlorene *Lost*-Anhänger, gehen dann aber lieber dazu über, die Episoden mit Beamer und Laptop auf Großleinwand zu projizieren und jede Folge als Heimkino zu feiern.

Die Serie ist wie für uns gemacht: gedreht auf Oahu, der Insel Hawaiis, auf der Tiare geboren wurde und aufgewachsen ist, was uns immer wieder Freudenschreie wie »An dem Strand war ich schon einmal mit meinem Vater!« beschert sowie pure Bewunderung von Mariwan: »Wow, Tiare, ist es bei dir zu Hause wirklich so schön?« Unser aller Lieblingsheld Sayid ist – ausgerechnet – Iraker, jedenfalls im Film. Mein Lieblingsdialog: Gleich zu Beginn der Serie, als noch keiner etwas über den anderen weiß, erzählt Sayid dem dikken Hurley, einem tapsigen Amerikaner, daß er Soldat im Ersten Golfkrieg gewesen sei. »Cool, Mann«, sagt der, »ein Freund von mir auch. In welcher Einheit? Bei den *Marines*? Der *101. Airborne Division*?«

»*Republican Guard!*« erwidert Sayid nur knapp und kühl, mithin bei der Elitetruppe Saddam Husseins.

Selbst Mariwan, dem der Charakter bei dieser Vergangenheit hätte zuwider sein müssen, mag Sayid, dessen Rollenbild changiert zwischen kaltem Strategen und hoffnungslosem Romantiker. Ein Mann mit dunkler Vergangenheit und großem Herzen. Der sich als »Folterer« vorstellt, aber eigentlich ein Retter ist. Um seine große Liebe im Irak vor der Hinrichtung zu bewahren, riskiert Sayid sein Leben; später läßt er sich, um sie noch einmal zu schützen, von der CIA erpressen. Seiner Liebe auf der Insel verwandelt der werbende Sayid – lange dunkle Locken, muskulös, sanfter Blick – ein einfaches Zelt in eine kerzenbeschienene Märchenwelt.

»Es ist gut, wenn das amerikanische Fernsehpublikum einen so sympathischen Iraker vorgeführt bekommt«, freut Mariwan sich. Klug, charmant, attraktiv: Von dem, was Amerikaner sonst über Iraker im Fernsehen sehen, ist Sayids Rolle Lichtjahre entfernt.

Romantiker sind uns im Irak allerdings auch eher selten begegnet. Mag sein, daß es sie gibt; auf uns wirken die Beziehungen zwischen Mann und Frau eher nüchtern, besonders in Kurdistan. Schon die altertümlichen Heiratsbräuche, die vor allem in den Dörfern bis ins Heute überlebt haben! Der reinste Frauenhandel. Bei *jin ba jin* etwa, übersetzt: Frau gegen Frau, verheiraten zwei Familien ihre Töchter über Kreuz; dafür, daß der Sohn der einen die Tochter der anderen Familie zur Frau bekommt, geben die ihnen ebenfalls eine Tochter, als Frau für ihren Sohn. Früher war das Schicksal dieser vier auf alle Zeiten aneinandergekettet: Ließen sich die einen scheiden, mußten das auch die anderen tun. Das immerhin wird heute nicht mehr überall so streng genommen. Von dieser Spielart der Familienverbandelung gibt es noch die Varianten *gawra ba betschuk*, »groß gegen klein«: Bekommt eine Familie von der anderen eine Tochter im heiratsfähigen Alter, hat selbst aber nur jüngere Töchter, wird eine davon für später versprochen. Bei *yek ba do* gibt es zwei Töchter für eine, bei der selteneren Form *yek ba se* sogar drei: etwa wenn die eine Familie deutlich ranghöher oder reicher ist als die andere oder wenn Töchter im eigentlich nicht mehr heiratsfähigen Alter im Gefolge einer jüngeren Schwester noch an den Mann gebracht werden sollen.

In einem Vertrag namens *shir bai*, »der Preis der Muttermilch«, handeln die Familien vor der Hochzeit aus, wieviel Gold die Frau im Fall einer Scheidung bekommt, allerdings nur, wenn es der Mann ist, der geht. Will sie ihn verlassen – etwa weil er sie prügelt –, muß er nichts bezahlen.

Kann einem da nicht die Lust aufs Heiraten vergehen? Für Alan jedenfalls, den einzigen Junggesellen unter den nicht bei uns im Haus wohnenden Kollegen, steht fest: Er wird niemals heiraten. Was er uns so ausführlich wie unterhaltsam bei einem gemeinsamen Mittagessen erörtert, das wir Frauen uns allerdings erst zäh erkämpfen müssen.

Die Männer wollen ein »populäres« Restaurant aufsuchen, wie unser stets präziser Wortklauber Hadi die billigen Volksküchen nennt, zahlreich in der Stadt, von Frauen aber eher selten besucht.

»Wir wollen mit«, verlangen Tiare und ich. Jessica, noch immer Vegetarierin, hat den Besuch von Restaurants bis auf ein, zwei Lokale bereits vor einer Weile eingestellt.

»Ihr mitkommen?« fragt Hadi. »Das ist keine gute Idee. Dort sind nur Männer.«

»Hadi, das trifft hier für neun von zehn Orten zu«, erwidere ich.

»Aber jeder wird euch ansehen. Anstarren.«

»Wenn ich nicht angestarrt werden will, darf ich das Haus nicht verlassen.«

»Aber es gibt einen Grad beim Starren, wenn der erreicht

ist, muß der Begleiter der Frau eingreifen und ihre Ehre verteidigen.«

»Ich befreie dich hiermit ganz offiziell von der Pflicht, meine Ehre zu verteidigen. Können wir jetzt essen gehen?«

Uns wäre wirklich etwas entgangen. Nicht kulinarisch, es gibt *Kuzi*, das Irak-Gericht schlechthin: Reis mit fettem Lamm, gekochten Aprikosen und weißen Bohnen in Tomatensauce. Aber menschlich, kulturell und überhaupt. Die Unterhaltung beginnt mit einem Scherz über Alans neuen Schnurrbart. »Er will heiraten, deshalb der Bart: Er will endlich wie ein Mann aussehen«, stellt Hadi in den Raum. Woraufhin Alan meint: »Ich habe tatsächlich darüber nachgedacht, ja, bin aber zu dem Entschluß gekommen: Ich will nicht heiraten. All meine verheirateten Freunde sind unglücklich.«

Tiare und ich blicken in die Runde. Am Tisch sitzen lauter Freunde von Alan, alle verheiratet. Alle unglücklich? Keiner sagt etwas.

Alan geht in die Offensive. »Ferhad, würdest du mir empfehlen zu heiraten?«

Ferhad schüttelt den Kopf. »Nein!« und es klingt nach tiefer Überzeugung.

Warum nicht? Hat er selbst nicht erst vor zwei Monaten seine Hochzeit mit uns gefeiert, eine Heirat aus Liebe, ungeduldig von ihm und seiner Frau herbeigesehnt?

»Die Ehe macht müde. Ich bin völlig k.o. von der Logistik meines neuen Lebens, vom Einrichten des Hauses, von den vielen Pflichten, die ich jetzt habe.« Hadi, seit fünf Jahren verheiratet, nickt: »Ich bin auch sehr, sehr müde. Aber die Ehe ist hier die einzige akzeptierte Lebensform. Was auch sonst soll man hier tun außer heiraten und Kinder kriegen? Für uns ist nichts anderes vorgesehen.«

Der große Überleber Shirwan, Ehemann seit anderthalb Jahren, widerspricht: »Natürlich macht es müde, eine Familie zu haben. Aber das ist es doch wert. Hadi, erinnere dich, wie du dich gefühlt hast, als deine kleine Tochter zum erstenmal Papa gesagt hat? Weißt du noch, wie das war?«

»Großartig.«

»Siehst du, dafür lohnt es sich, müde zu sein. Warum genau willst du nicht heiraten, Alan?« hakt er nach.

»Habt ihr den Film *Braveheart* mit Mel Gibson gesehen?« Allgemeines Kopfnicken. Das mehrfach oscargekrönte Schottenepos um den Helden William Wallace, der mit Bauern die Armee des englischen Königs Edward I. schlug, kennen wir alle. Was aber hat William Wallace mit Alans Aversion gegen die Ehe zu tun? Soweit ich mich erinnere, zog Wallace deshalb in die Schlacht, weil der englische König seine geliebte Ehefrau ermordet hat.

»Mag sein. Aber erinnerst du dich an den Schluß, an die Szene, in der er hingerichtet wird? Was sind seine letzten Worte?«

Keine Ahnung.

»Freiiiiiiheit!« ruft Alan so inbrünstig, daß das halbe Restaurant zu uns herübersieht. Wir lachen. Ihm aber ist es ernst. Die Worte sprudeln nur so aus ihm heraus. »Ich habe Angst, mich zu langweilen. 30 Jahre mit derselben Person! Wie kann ich wissen, daß ich wirklich auf Dauer glücklich sein werde? Vielleicht dächte ich anders, wenn es leichter wäre, sich scheiden zu lassen. Aber das kann man einer Frau ja nicht antun, so wie Geschiedene bei uns dastehen, sie wäre für immer beschädigt. Ich will unsere Gesellschaft ja gar nicht verwestlichen. Aber wie soll ich mit jemandem einen Bund fürs Leben schließen, bevor wir auch nur einen einzigen Tag zusammengelebt haben?«

Schon oft habe ich gedacht, daß Alan im Geiste eher Europäer oder Amerikaner ist als Kurde. Als er vor einem Jahr zum erstenmal nach Amerika reiste, mailte er uns aus New York, er sei am Ort seiner Bestimmung angelangt; ihm sei, als habe sein ganzes bisheriges Leben zu diesem einen Moment führen sollen. »Das ist meine Stadt, ich fühle mich überhaupt nicht fremd.« Zum erstenmal im Ausland überhaupt – und dann gleich von Suleimania nach New York. Ein kleiner Kulturschock wäre nicht ungewöhnlich gewesen. Doch Alan fühlte sich sofort zu Hause. Der Schock kam später, im Geldbeutel. Weshalb er aller Begeisterung zum Trotz von einem Studienjahr früher zurückkehrte als geplant.

Seither steht er, das ist nicht zu überhören, seitens der Familie unter Druck: genug der Experimente, fang endlich mit dem richtigen Leben an!

Die anderen haben Alans Vortrag still verfolgt, während sie Reis und Fleisch aus ihren Schüsseln gabeln. Als der obligatorische Tee nach dem Essen kommt, kippt Mariwan ihn aus dem Glas in die Untertasse; angeblich kühlt er so schneller ab. Tiare und ich lachen: »Du bist manchmal soooo kurdisch!« Er läßt sich nicht beirren, schlürft weiter seinen Tee vom Teller und schweigt.

Ferhad beschließt, seine junge Ehe doch noch in ein etwas besseres Licht zu rücken. Er lebe wirklich gern mit seiner Frau, beteuert er, »Wir haben geheiratet, weil wir zusammensein wollen, versteht mich nicht falsch. Nur das ganze Drumherum ist so anstrengend.«

Shirwan lacht. »Du glaubst jetzt, es sei anstrengend? Warte, bis du Kinder hast.« Wieder an Alan gewandt, fragt er noch einmal: »Wenn du keine Familie hast, was willst du dann anfangen mit deinem Leben?« Woraufhin Alan ein kurdisches Sprichwort zitiert, über das ich bis heute rätsele: »Wenn Kurden zu Geld kommen, fangen sie an zu töten, oder sie heiraten.«

Mariwan kommt abends in der WG noch einmal auf unsere Unterhaltung zurück. Im Restaurant hatte er nichts gesagt, nur zugehört. Gehört er durch das Wohnen mit uns, durch die Beziehung zu Tiare, nicht mehr eindeutig zu den anderen? Er mag seinen Tee noch sehr kurdisch aus der Untertasse schlürfen; die WG mit uns hat eine feine, aber spürbare Linie zwischen ihm und der kurdischen Außenwelt gezogen.

»Über dich wird geredet«, warnte kürzlich sein Cousin, der als Wachmann bei uns arbeitet, »die Leute sagen, du hättest deine Persönlichkeit verloren, weil du soviel Zeit mit der Ausländerin verbringst.« Auch seine Familie in Halabja beginnt sich zu sorgen. Zwar nehmen sie Tiare herzlich auf, als Mariwan sie für ein Wochenende mit nach Halabja bringt. Doch je mehr Zeit vergeht, desto unruhiger werden sie. Bei einem seiner Besuche in Halabja nimmt dann Mariwans älterer Bruder ihn beiseite und sagt, quasi im Auftrag der Familie: »Heiraten solltest du aber besser eine Kurdin.«

Ausländerinnen genießen als Ehefrauen keinen guten Ruf: unberechenbar, zu selbstbewußt und anspruchsvoll – und wenn der Mann ihnen nicht mehr passe, verschwänden sie und nähmen die Kinder mit.

Für Mariwan ist das Thema also heikel. Und doch wirkt er, als wolle er sich nicht beirren lassen. Fünf Jahre jünger als Tiare und überhaupt nicht in Eile, was das Heiraten betrifft, lebt er so, wie er es für richtig hält – mit uns, mit Tiare. Im Haus machen die beiden längst kein Geheimnis mehr aus ihrer Beziehung; und auch sonst wissen, wie die Bemerkung des Cousins nahelegt, offenbar alle Bescheid, auch wenn keiner die beiden je direkt darauf anspricht, so wenig wie mich und Niaz.

Das *Braveheart*-Gespräch geht Mariwan sichtlich im Kopf herum. Der Mangel an Talent zum Glücklichsein, die Einrichtung im Alltagsgrau, die Abwesenheit jeder Ambition, mehr zu machen aus dem Leben zu zweit als eine Kinderaufzuchtgemeinschaft, erschrecken ihn. »Die Leute hier heiraten ohne Plan. Ohne Ahnung, wie sie zusammenleben sollen, was sie sich vom Partner wünschen, jeder hat irgendwelche komischen Phantasien, aber niemand weiß etwas vom Leben.«

»Woher auch, wenn es praktisch verboten ist, Erfahrungen zu sammeln?« frage ich. Und erzähle von einem Freund von Niaz, um die 50 Jahre alt, der ihn kürzlich fragte, ob er einen Nachmittag lang dessen Zimmer benutzen könne, um sich einmal ungestört mit einer Frau zu treffen, die er eventuell heiraten wolle. »Es ging nicht einmal um Sex. Er wollte nur in Ruhe mit ihr reden. Aber hätten sie sich in einem Restaurant verabredet, wäre gleich die Rederei losgegangen: Warum sie sich treffen, ob er sie heiraten wolle, ob sie mit ihm ins Bett gehe und so weiter. Stellt euch vor – der Mann ist 50, die Frau Ende 30!«

»Und? Haben sie sich getroffen?« will Tiare wissen.

»Nein. Bevor es dazu kam, hat der Bruder der Frau mitgekriegt, wer sich für seine Schwester interessiert, und den Brautwerber kurzerhand für zu alt erklärt. Die Schwester wurde gar nicht erst gefragt. Für Niaz' Freund war das aber nicht so schlimm. Drei Wochen später war er bereits mit einer anderen verheiratet.« Wenn beschlossen wird, die Zeit sei reif für eine Eheschließung, finden Mann und Frau sich in Kurdistan schnell. Oder werden von ihren Familien gefunden. Kein Wunder, wenn Alan leichte Panik ergreift. Wie hat es unser britisch-kurdischer Journalistenfreund Michael formuliert? »Neuerdings tauchen wie aus dem Nichts überall, wo ich hinkomme, Cousinen im heiratsfähigen Alter auf und werden mir vorgestellt mit den Worten: Michael, kennst du eigentlich schon …?« Selbst jüngst auf der Gedenkfeier für die Opfer eines Terroranschlags in Erbil: Michael hatte sich ein wenig abseits gestellt, weil er nach der Rede eines kleinen Jungen an seinen toten Vater mit den Tränen kämpfte, da tauchte plötzlich eine Frau neben ihm auf und sagte ohne jede Vorwarnung: »Michael, deine

Tante und ich dachten, du solltest unbedingt meine Tochter kennenlernen.«

Deutschland vor 50, 60 Jahren war vielleicht gar nicht so viel anders. Von meiner Lebenswirklichkeit aber sind die Geschichten aus dem kurdischen Beziehungskosmos Jahrhunderte entfernt.

Und erst die Gegenwelt, wenn Tiare und Jessica vom *Dating* in New York erzählen. Ich stellte mir das natürlich vor wie bei Carrie, Miranda, Samantha und Charlotte, den *Sex and the City*-Ikonen – was Jessica entschieden bestritt. »Ich besitze kein einziges Paar Manolo Blahniks und habe mir einmal im Leben ein Paar Prada-Schuhe gekauft, das ich seit sechs Jahren trage.« Was sie und Tiare über die Schuhfrage hinaus preisgeben, erinnert mich dann aber doch sehr an das Liebesleben der famosen vier.

Von Sina, dem Libanesen, der kam, um Jessicas Telefon zu reparieren, und einen »so schönen Körper« hatte, daß sie ihm spontan verfiel. Als er argwöhnte, sie wolle nur Sex, ihr aber zugleich seine Liebe gestand, kam leise Verzweiflung auf. Dann beichtete er ihr, ein anderes Date sei nach einem Mal Miteinanderschlafen schwanger geworden; die Frau wolle ihn nun heiraten, aber er liebe doch sie, Jessica. »Das war mein Ausweg.« Es folgten ein junger Koch, ein reicher Anwalt, »aber dessen Freunde waren genau die Leute, vor denen ich mein Leben lang fortgelaufen bin, Teil dieser sehr kleinen reichen jüdischen Gemeinde in New York, alle Harvard-Absolventen, die Frauen immer wie aus dem Ei gepellt und ohne echte Jobs, höchstens ein bißchen Sozialarbeit oder Engagement im Wohltätigkeitsverein.«

»O ja, die Typen kenne ich«, pflichtet Tiare ihr bei. »Ich nenne das *resumé dating*, Ausgehen mit einem Lebenslauf. Mich hat mal ein Banker angegraben, der offen sagte, ich sei gut, um mich auf Cocktail-Parties mitzunehmen. Islamwissenschaften studiert, ein paar Jahre in Beirut gelebt, das sei mal was anderes.« Von den beiden lerne ich so schöne Ausdrücke wie *TMI*, die Kurzform für *too much information*, wenn einer gleich beim ersten Date seine ganze Lebensgeschichte offenbart oder Dinge, die man lieber überhaupt nicht wissen will. Auch der Begriff *recreational sex* gefällt mir gut, lose zu übersetzen mit Freizeitsex oder Sex zur Entspannung, der mit dem übrigen Leben nur bedingt zu tun hat und nicht zu Versorgungsleistungen und Erbansprüchen führt.

Also genau das, was in Kurdistan verboten ist. Offiziell jedenfalls. Denn auch das haben wir inzwischen gelernt: Natürlich geht längst nicht jede Kurdin als Jungfrau in die Ehe. Nicht, wenn die Definition lautet: Hatte noch nie Sex. Es gibt Ärzte, die Hymen flicken können wie eine kaputte Netzstrumpfhose. Nationaler Beliebtheit erfreuen sich zudem Praktiken, die das Häutchen schonen.

Gefährlich bleibt es vor allem für die Frauen trotzdem. Für sie macht das Verschwimmen der strikten Grenzen die Lage beinahe noch vertrackter. Einerseits steigt der Druck, sich nicht so zu zieren; die Gefahr aber, von Familie und Gesellschaft geächtet zu werden oder Schlimmeres, wenn sie allzu offensichtlich nachgeben, bleibt groß. Mit wenig läßt sich eine Frau in Kurdistan so leicht zerstören wie mit der Nachrede, sie sei sexuell freizügig.

Eine Doppelmoral, die uns immer wieder wütend macht. »Die Leute haben ja Sex«, empört sich Tiare. »Nur gibt es keiner offen zu. Jeder macht es heimlich und zeigt mit dem Finger auf die anderen. Wenn sie vor- oder außerehelichen Sex verteufeln wollen – bitte, dann ist das Teil der Kultur. Dann sollen sie halt keusch leben. Wenn es aber ohnehin fast jeder tut, warum dann diese Scheinheiligkeit?«

Lurpak-Butter

Am Nachmittag des 4. Februar 2006 beginnt eine neue Zeitrechnung in unserer Wohngemeinschaft. Ich sitze mit Ayub auf dem Sofa, es läuft der Nachrichtensender *al-Dschasira*. Tiare kommt aus der Küche und setzt sich zu uns; sie sieht den Satellitensender gern, gibt es doch sonst wenig Gelegenheit in Kurdistan, ihr Arabisch zu pflegen. Jessica hat sich in ihr Zimmer zurückgezogen. Im Fernsehen wird ein Mullah aus Dänemark interviewt, auch er spricht arabisch, und ich bitte Ayub zu übersetzen, was er sagt.

Seit ein paar Tagen verfolgte ich mit wachsender Verstörung den Siegeszug des Zorns in der muslimischen Welt über zwölf Karikaturen, abgedruckt in der kleinen dänischen Zeitung *Jyllands-Posten*. Die Karikaturen zeigten Mohammed, den wichtigsten Propheten des Islam, unter anderem mit einer Bombe als Turban – eine Anspielung auf die wachsende Zahl von Terroristen, die sich auf den Islam berufen. Erschienen waren die Zeichnungen jedoch schon vor einem halben Jahr, am 30. September 2005, damals von der *Umma*, der muslimischen Glaubensgemeinde, weitgehend unbemerkt. Bis eine Delegation dänischer Muslime auszog, Verbündete zu suchen gegen diese ihrer Ansicht nach sträfliche Verunglimpfung Mohammeds. Für ihre Mission mischten sie dabei unter die tatsächlich publizierten Zeichnungen auch solche, die ihr Argument stützen sollten, aber niemals in der dänischen Zeitung erschienen waren. Die Agitationstour zu einflußreichen Imamen etwa in Ägypten bewährte sich: Seit bald einer Woche nun stand die islamische Welt Kopf, Dänemark als Feind aller Muslime am Pranger und global die Meinungsfreiheit vor Gericht.

Botschafter islamischer Nationen wurden aus Kopenhagen abberufen, dänische Milchprodukte aus den Kühlregalen der Supermärkte in Riad, Kairo, Damaskus geräumt. Und ausgerechnet so erprobte Demokratien wie Syrien und Saudi-Arabien forderten Gesetzesänderungen in Dänemark zum besseren Schutz der Religion.

Das ist es auch, worüber der dänische Mullah auf *al-Dschasira* spricht; »außerdem verlangt er, die dänische Regierung müsse sich entschuldigen«, übersetzt Ayub und schiebt hinterher: »Der Meinung bin ich übrigens auch.«

Sechs Worte, die harmlos klingen und sich doch Minuten später als Fundament einer Weltanschauung erweisen, die grundverschieden von der meinen ist. Erst jetzt fällt mir auf, daß wir in unserer WG seit Beginn des Karikaturenstreits noch nicht ein einziges Mal miteinander darüber gesprochen haben. Was denken Ayub, Mariwan, Tiare und Jessica darüber? Ich weiß es nicht. Haben wir das Thema unbewußt gemieden?

Ich sehe Ayub an. »Wieso sollte sich die Regierung für eine als Privatunternehmen geführte Zeitung entschuldigen? Du weißt doch: Die meisten Medien in Europa sind nicht staatlich, und solange sie sich innerhalb der Gesetze bewegen, kann die Regierung wenig reinreden.«

»Die Regierung steht immer über allem«, widerspricht Ayub, »ich glaube nicht an diese Form der Pressefreiheit. Eine Zeitung kann nicht machen, was sie will, auch in Europa nicht.«

»Im Rahmen der Gesetze schon.« Noch dachte ich, wir diskutierten über die Grenzen der Pressefreiheit, über das Verhältnis von Medien und Staat, von Staat und Religion; schließlich sind wir alle Journalisten, lehren gemeinsam Journalismus und sprechen auch mit unseren Studenten häufig über diese Fragen.

»Sie haben etwas viel Schlimmeres gemacht als gegen dänisches Gesetz zu verstoßen. Sie haben gegen das Gesetz der ganzen Welt verstoßen! Sie haben die Gefühle von 1,5 Milliarden Muslimen verletzt.«

Ayub schweigt für einen Moment, im Fernsehen werden Supermarktfilialleiter aus Saudi-Arabien interviewt, und ich warte, ob er fortfährt mit der Übersetzung. Doch in ihm läuft längst sein eigener Film ab.

»Warum darf man in Europa den Propheten des Islam beleidigen, aber nicht sagen, daß es den Holocaust nie gegeben hat? Ich sage: Der Holocaust hat niemals stattgefunden. Er ist ein Mythos. Warum ist das bei euch strafbar, eine Beleidigung unseres Propheten aber nicht? Im Koran steht geschrieben, der Prophet darf nicht abgebildet werden, und der Koran ist auch ein Gesetz. Warum dürft ihr dagegen verstoßen?«

Verwundert lasse ich die letzten fünf Minuten Revue passieren: Wie sind wir beim Holocaust gelandet beziehungsweise bei dessen Leugnung? Haben wir nicht gerade noch alle friedlich miteinander auf dem Sofa gesessen, Bewohner desselben Hauses, Mitarbeiter derselben Organisation, Freunde auch, die mit Befremden Fernsehbilder sahen von randalierenden Massen, brennenden dänischen Fahnen und von Mullahs, die die Freitagspredigt zum Boykottaufruf alles Dänischen nutzten?

Und nun: ich, ihr, wir, bei euch. Eben noch Zuschauer, haben wir uns von einer Minute auf die andere gewandelt zu Mitstreitern in der Auseinandersetzung zwischen – ja, zwischen wem eigentlich? Wer streitet hier gegen wen? Der Islam gegen den Westen? Verfechter der Überlegenheit des Glaubens gegen Säkulare? Zensoren gegen Anwälte des Rechts auf freie Meinung? Ich gegen Ayub, wie ist der Riß in unser Wohnzimmer gelangt? Oder war er die ganze Zeit über da, wir haben ihn nur nicht wahrgenommen, nicht wahrnehmen wollen, haben ihn kleingeredet, schöngefärbt?

Zu Saddams Zeiten stand das Leugnen des Holocausts in den Schulen auf dem Lehrplan, grundsätzlich weiß ich also, woher dieser Gedanke kommt. Das schnelle Umschlagen unserer Unterhaltung von Diskussion in Angriff aber überrascht, erschreckt mich.

Für den Hausfrieden wäre es wohl am bekömmlichsten, ich ließe Ayubs Wut kommentarlos ins Leere laufen. Sich in Rage reden ohne Gegenwehr ist gar nicht so leicht. Sitzt Tiare deshalb still daneben?

Aber wenn ich nicht einmal mit einem Muslim, mit dem ich seit Monaten zusammenwohne und -arbeite, über das, was gerade in der Welt geschieht, zu reden wage – mit wem dann? Ist Dialog dann überhaupt noch möglich? Nein, ich kann und ich will seine Wut nicht einfach still vorüberziehen lassen. Ich will nicht streiten. Aber ich habe Fragen.

Hat Ayub den Holocaust gezielt gewählt, weil ich Deutsche bin und Jessica, mit der er seit bald einem Jahr täglich zusammenarbeitet, Jüdin? Oder war es ein spontaner Reflex, ohne Hintergedanken, ohne tiefere Überzeugung?

Ich will gerade erklären, daß das Leugnen des Holocausts nicht überall in Europa strafbar ist und was in Deutschland hinter dem Verbot steckt, da fährt Ayub mit seiner Wuttirade fort. »Die sagen, sechs Millionen Menschen wurden getötet und die Gefühle der Opfer und deren Angehöriger dürften nicht verletzt werden. Aber die Gefühle von 1,5 Milliarden Muslimen darf man verletzen? Müssen wir uns erst vergasen lassen, bevor unsere religiösen Gefühle ernstgenommen werden?«

Ich schlucke. Irgend etwas läuft hier gerade entsetzlich schief. Ich registriere es, kann aber nichts tun, es aufzuhalten. Ein Buch fällt mir ein, das in meinem Bücherregal in Hamburg steht: »Wie man mit Fundamentalisten diskutiert, ohne den Verstand zu verlieren«. Leider nie gelesen. Also der Sprung auf vertrautes Terrain: Fragen, Fakten, Analyse.

»Glaubst du wirklich, 10 000 Jemenitinnen in Sanaa gehen auf die Straße, weil sie sich in ihren religiösen Gefühlen verletzt fühlen durch eine Karikatur in Dänemark?« frage ich. »Die meisten der Demonstrantinnen haben vermutlich noch nie im Leben eine Zeitung gesehen, geschweige denn eine dänische, und haben auch keinen Zugang zum Internet und wahrlich drängendere Probleme, für die sie auf die Straße gehen könnten. Sonst dürfen sie kaum das Haus verlassen, und jetzt fällt ihnen plötzlich ein, gegen in Dänemark veröffentlichte Karikaturen zu protestieren?«

»Du hältst alle Muslime für so dumm, daß ihnen erst jemand sagen muß, worüber sie sich aufzuregen haben? Glaubst du, wir können nicht selbst erkennen, was gegen unsere Religion ist?«

»Das habe ich nicht gesagt. Ich versuche nur dir zu erklären, daß dies keine spontane Empörung ist, sondern es

Kräfte gibt, die ein Interesse an dem Konflikt haben. Wieso sind die Proteste denn genau dort am heftigsten, wo die Regierungen am stärksten mit Islamisten zu kämpfen haben, Saudi-Arabien, Jemen, Ägypten, oder unter großem Druck von außen stehen wie Syrien? Alles Länder, wo die Menschen sonst nicht laut ›piep‹ sagen können, ohne daß eine halbe Armee herbeispringt. Und plötzlich herrscht freies Demonstrationsrecht, marschieren die Massen unbehelligt durch die Städte? Gegen Dänemark erlauben diese Regierungen die Aufwallung religiöser Gefühle, die sie sonst vehement unterdrücken. Ein willkommenes Ventil, um von den eigenen Problemen abzulenken.«

Ich fand mich sehr rational, meine Argumentation schlüssig – leider hatte ich die Natur unseres Streits völlig verkannt. Ayub wollte keine Argumente, keine Logik. Er wollte sich akzeptiert wissen in seinem Zorn.

Jede weitere Frage von mir macht ihn nur noch wütender. Trotzdem kann ich noch nicht schweigen. »Eines mußt du mir erklären, Ayub: Wieso verletzt eine Mohammed-Karikatur in einer dänischen Zeitung die Gefühle der Muslime so sehr, daß sie von Afghanistan bis Indonesien protestieren, aber keiner geht dagegen auf die Straße, daß sich Tag für Tag Muslime im Namen des Islam und damit auch im Namen Mohammeds in die Luft sprengen und unschuldige Menschen töten?«

Ich mußte diese Frage loswerden, seit Tagen spukte sie mir durch den Kopf. Dieser Widerspruch nahm in meinen Augen den zornigen Predigten gegen die »Feinde des Islam« viel von ihrer Glaubwürdigkeit, ihrer moralischen Legitimation. Gern hätte ich das in gelassenerer Stimmung mit Ayub beredet, ihn neugierig gefragt, anstatt aggressiv zu konfrontieren.

»Dagegen haben sie auch demonstriert.«

»Nicht in den Massen, nicht mit der Wut, die wir jetzt sehen.«

»Sie könnten ihr ganzes Leben damit zubringen, dagegen zu protestieren, das passiert ja jeden Tag.«

»Eben. Genau darum drehten sich übrigens einige der Karikaturen. Ich will die Zeichnungen gar nicht im einzelnen verteidigen. Aber siehst du nicht die Schieflage, die Unverhältnismäßigkeit der Mittel? Selbst wenn ich anderer Meinung bin, selbst wenn ich finde, daß eine Zeichnung mich beleidigt, rufe ich noch lange nicht dazu auf, ihren Urheber umzubringen, oder brenne sein Büro nieder. Die Karikaturen mögen Gläubige beleidigt haben. Aber sie haben niemanden getötet. Über unterschiedliche Ansichten kann man doch reden.«

»Es gibt Dinge, über die kann man nicht reden, weil es dazu keine unterschiedlichen Ansichten geben kann. Ich wünsche keinen Dialog über den Propheten.«

Die Wut, die aus Ayub spricht, hat mit den Karikaturen höchstens am Rande zu tun. Die Mohammed-Zeichnungen sind ihm, wie vermutlich vielen der Protestierer, nicht Ursache, sondern Anlaß für eine Generalanklage gegen den Westen. Denn es hatten sich viele Gründe angesammelt, um auf den Westen wütend zu sein.

Erst eine Woche zuvor war Jassim, einer unserer Studenten und Ayubs bester Freund, bei einer Razzia in seiner Heimatstadt Hawidscha vom amerikanischen Militär verhaftet worden. Ich erfuhr davon, als Tiare einen Anruf bekam und – wie damals Jessica bei der Verhaftung von Leila und Ammar aus Falludscha – den Gesprächspartner am anderen Ende der Telefonleitung ständig mit »Sir« ansprach. Mit Sirs zu telefonieren bedeutet selten Gutes, das hatte ich inzwischen begriffen. Und tatsächlich: Der Anrufer, ein Sergeant Brian, wollte uns informieren, sie hätten jemanden festgenommen, der behauptet, einer unserer Studenten zu sein. Er habe auch unseren Presseausweis bei sich gehabt. Tiare ließ sich den Namen nennen und bestätigte Jassims Identität. Das sei hilfreich, meinte der Sergeant, zumal wir ihm auch erklärten, daß Jassim für uns zu den beiden kürzlich entführten deutschen Ingenieuren aus Leipzig recherchieren sollte. Das Militär hatte nämlich einen Zettel bei ihm gefunden mit Notizen, die ihnen höchst verdächtig erschienen.

Die tägliche Zwickmühle der Journalisten im Irak: Die einen halten sie für Agenten des imperialistischen Feinds, die anderen für Terroristen. Trotz unserer eindeutigen Angaben müßten sie ihn zur weiteren Überprüfung nach Kirkuk bringen, sagte der Sergeant. Immerhin: »nur« nach Kirkuk. Andere vom amerikanischen Militär verhaftete irakische Journalisten waren in Abu Ghreib gelandet und dort auf Monate verschwunden.

Ein Teil von Ayubs Wut läßt sich sicher mit der Sorge um seinen Freund erklären, denn am Tag unseres Streits ist Jassim immer noch nicht frei. Wir wissen, sie halten ihn in der US-Basis in Kirkuk fest, wir rufen dort täglich an, und jedesmal versichert man uns, es gehe ihm gut; seine Freilassung sei nur eine Frage der Zeit. Trotzdem sollen fast zwei Wochen vergehen, bevor er wieder nach Hause kommt. Was er nach der Freilassung von seiner Gefangenschaft erzählt, entspricht nicht wirklich unserer Definition von »gutgehen«. Mit einem Sack über dem Kopf mußte er stundenlang still im Dunkeln sitzen. Handschellen selbst zum Essen und beim Gang zur Toilette, das Quartier eine zwei Quadratmeter große Einzelzelle, immer wieder Verhöre, manche Soldaten beschimpften die Häftlinge, andere ließen sie stundenlang mit dem Gesicht zur Wand stehen, eine Woche lang durfte er nicht mit anderen Gefangenen sprechen.

Es ist nicht die erste Enttäuschung Ayubs über das amerikanische Militär im Irak. Zunächst hatte er den Krieg vehement unterstützt, war richtiggehend wütend auf die Proteste in Europa und fieberte dem Tag des amerikanischen Einmarschs entgegen. Bagdad, die Hauptstadt seines Heimatlandes, sah er zum erstenmal, als Saddam Hussein von den Amerikanern gestürzt worden war. Ayub machte Bekanntschaft mit arabischen Irakern und erzählte ihnen vom Leben in Kurdistan, und sie erzählten ihm, wie auch sie unter Saddam Hussein gelitten hatten. Tage der Hoffnung, in denen Ayub Iraker davon schwärmen hörte, Irak möge der 51. Staat der USA werden; auch er träumte von einem neuen Leben in einem friedlichen, demokratischen Irak.

Dann begann der eigentliche Krieg. Ayub sah, wie in Bagdad ein Panzer ein Auto voller Zivilisten überrollte. Sah, wie eine Militäreinheit ein Haus unter Beschuß nahm, in dem ganz normale Iraker wohnten. Mit jedem Toten sank die Hoffnung und wuchs die Wut. Und es wuchs die Hinwendung zu dem, was die eigene Identität am stärksten abgrenzte von den neuen Herrschern: Er, der früher so gut wie nie gebetet hatte, wurde religiös, entdeckte den Islam. Zeitgleich aber öffnete sich ihm die Welt des Journalismus und damit des Fragenstellens, der Analyse, der Kritik.

Zwei Herausforderungen, die Grundverschiedenes von ihm verlangen. Was ein Motiv dafür sein mag, daß wir ihn uns im wesentlichen mit einem Wort erklären: verwirrt.

Am Nachmittag des 4. Februar 2006 aber ist er nicht verwirrt, sondern rasend. Mittlerweile führt er mehr einen Monolog denn ein Gespräch mit uns; als spucke er Sätze aus, die ihm schon lang im Hals steckten. »Der Westen ist so arrogant, so ignorant. Jeder darf den Islam mit Füßen treten.« Er erwähnt den in den Niederlanden ermordeten Regisseur Theo van Gogh. »Warum mußte der einen Film machen, der die Muslime beleidigt?«

»Er wollte die Menschen zum Nachdenken bringen. Er wollte Verse aus dem Koran und die Wirklichkeit in vielen islamischen Länder …«

Ayub fällt mir ins Wort. «Es ist nicht seine Aufgabe, Muslime zum Nachdenken zu bringen. Das kann der Mullah machen, die islamischen Gelehrten, aber nicht er. Er hatte kein Recht dazu.«

In jenem Augenblick stürmt Jessica aus ihrem Zimmer. Wutschäumend marschiert sie zur Küche und schreit Ayub im Vorbeigehen an: »Du mußt erst einmal lernen, eine zivilisierte Unterhaltung mit Menschen zu führen, die anderer Meinung sind als du.« Sie holt etwas aus der Küche, stapft zurück und faucht, als sie wieder auf unserer Höhe ist: »Bevor du andere verurteilst, lerne erst einmal, was Respekt heißt!« Dann verschwindet sie wieder in ihrem Zimmer, hinter ihr knallt laut die Tür ins Schloß.

Ein paar Sekunden lang sitzen wir alle da wie betäubt. Ich fühle mich wie auf einer Schräge, alles kommt immer weiter ins Rutschen, ohne daß ich etwas dagegen tun könnte. Erschöpft, irritiert und vorerst am Ende unserer Worte ziehen wir uns alle in unsere Zimmer zurück.

Eine Stunde später durchzieht die nächste Erschütterung unser Haus. Als hätte das Beben lauter zuvor unsichtbare Haarrisse im Fundament unserer Wohngemeinschaft freigelegt, knirscht und hakt es plötzlich überall.

Nach dem ersten Schreck kommen Jessica, Tiare und ich wieder aus unseren Zimmern und lassen uns gemeinsam auf dem Sofa nieder. Im Fernsehen läuft, natürlich, wieder ein Beitrag zum Karikaturenstreit, diesmal die Meldung, verschiedene europäische Zeitungen hätten die Zeichnungen nachgedruckt mit der Begründung, einen solchen Angriff auf die Meinungsfreiheit dürfe man nicht akzeptieren. Ich kommentiere das mit einem »Das wurde aber auch Zeit.«

Woraufhin Tiare meint: »Ich hätte als Chefredakteur die Karikaturen nicht gedruckt. Sie sind beleidigend und rassistisch, sie zu veröffentlichen war eine schlechte herausgeberische Entscheidung. Ich verstehe nicht, wieso die Menschen nun über die Reaktionen überrascht sind.«

»Warum bist du so politisch korrekt, Tiare?« schnappt Jessica. »Wovor hast du Angst?«

»Ich habe keine Angst, wieso Angst? Warum bist du so aggressiv?«

Zu mir gewandt sagt Jessica: »Europa hat ein Problem, das ist ja wohl sehr deutlich geworden. Ich halte es nicht für Zufall, daß diese Kontroverse in Europa ausgebrochen ist und nicht in Amerika. Das konnte nur in Europa passieren. So wie der Holocaust nur in Europa geschehen konnte.«

Fragender Blick meinerseits.

»Ich kann das nicht näher erklären, ist nur so ein Bauchgefühl. Aber für mich hängt das, was der Karikaturenstreit an Problemen Europas aufzeigt, ganz klar mit dem Holocaust zusammen. Beides sind für mich zutiefst europäische Phänomene.«

Islam, Europa, Amerika: Zog sich jetzt jeder auf seine Heimatscholle zurück? Plötzlich schienen wir alle in Schubladen zu stecken und auch zu denken. Hatte ich mich je zuvor so eindeutig als Europäerin gefühlt? Auf die Frage »Was ist für dich Europa?« wären mir sonst vermutlich nach einigem Nachdenken Hunderte Antworten eingefallen. Hier und heute hätte ich spontan gesagt: »Der säkulare Kontinent.« Aus der Ferne erkenne ich klar das Privileg: ein Leben frei von Religion zu führen, wenn ich das möchte.

Später am Abend kommt Niaz vorbei. Ich erzähle ihm, noch sichtlich verstört, von dem Streit. Er zeigt sich überhaupt nicht überrascht. »Ayub schimpft auf den Westen – aber in Wahrheit bekämpft er seine eigenen Schuldgefühle.«

»Wieso Schuldgefühle?«

»Wenn er tatsächlich so strenggläubig ist, wie er sich oft gibt, dürfte er dann mit euch Frauen so vertraut unter einem Dach wohnen? Und wenn er die Amerikaner so haßt, weil sie im Irak alles falsch gemacht haben, dürfte er dann für eine amerikanische Organisation arbeiten und von den

Amerikanern Geld nehmen? Er klagt den Westen an, läßt sich aber zugleich tief mit ihm ein. Er fühlt sich angezogen von etwas, das er verteufeln möchte, und das macht ihn noch wütender. Er ist den Prinzipien, für die er steht, selbst nicht treu geblieben, und nun prangert er deren – echte oder vermeintliche – Verletzung durch den Westen um so schärfer an.«

Klingt einleuchtend. So fügt sich auch Ayubs Rückgriff auf den Holocaust ins Bild: Damit konnte er die Deutsche und die Jüdin, in deren Gestalt ihm der Westen Tag für Tag begegnet, dämonisieren. Und sich dafür des in der Region gängigen Musters des Vorwurfs der zionistischen Verschwörung bedienen.

Aber was heißt das für uns? Für unsere WG? Würden wir jetzt für alle Zeiten auf verschiedenen Seiten eines Kulturkonflikts stehen, dessen Ende noch nicht abzusehen war?

Auch für Niaz hat der Karikaturenstreit eine ganz persönliche Dimension. Ausgerechnet Dänemark! Er, der dänische Staatsbürger, wird seit Tagen immer wieder gefragt: »Warum machen die Dänen das?« Er, den sie in Dänemark ständig wider Willen in die Rolle des Islamerklärers gedrängt haben, soll im Irak nun Studenten, Kollegen, Freunden und Verwandten Dänemark erklären.

»Weißt du, wie oft ich in meinem Leben jene zwei Minuten schon verflucht habe, in denen ich mich vor 23 Jahren für Dänemark entschied? Und in den vergangenen Tagen öfter denn je.«

Zwei Minuten, die Wegscheide am Ende einer langen Reise. Nachdem Niaz im Winter 1982 von der iranischen Polizei halb erfroren im Grenzgebirge zwischen Iran und Irak aufgegriffen worden war, brachten ihn die Beamten in ein Internierungslager nördlich von Teheran. Fast ein Jahr blieb er dort. Erst als er fürchtete, enttarnt zu werden als Freiheitskämpfer, der auch Rebellen auf iranischer Seite geholfen hatte – ein sicheres Todesurteil –, entschloß er sich zur Flucht.

Ein im Iran lebender Freund seines Vaters half ihm außer Landes. Er besorgte ihm einen gefälschten Paß sowie ein ebenfalls gefälschtes Zusatzpapier, das ihn als Sonderagenten des iranischen Geheimdienstes auswies: unterwegs in geheimer Mission nach Europa, weshalb keine Fragen zu stellen seien und nichts in den Paß einzutragen und das Papier außerdem sofort zu vernichten sei.

So kam Niaz von Teheran nach Wien, ohne Stempel, ohne Visum, nur mit einem Anschlußticket nach Ostberlin. Der Flug ging aber erst zwei Tage später. Also versteckte er sich im Transitbereich auf der Toilette, ständig von Kabine zu Kabine auf der Flucht vor der Putzfrau.

In Ostberlin flog der gefälschte Paß sofort auf. »Sieh dir das an«, winkten ihn die Beamten hinter den Schalter, und er sah unter der Schwarzlichtlampe die Falscheintragungen in seinem Paß leuchten, Schicht über Schicht wie die Ringe eines Baumkuchen. »An dem ist ja nichts echt!« amüsierten sich die Grenzer. Todesangst legte sich ihm kalt ums Herz. Wenn sie ihn zurückschickten, egal ob nach Iran oder Irak, wäre seine Hinrichtung besiegelt. Banges Warten. Nach vier Stunden endlich ein Dolmetscher. Die Polizei durchsuchte sein Gepäck. »Was ist denn das?« fragte der Chef der Grenzpolizei mit Hilfe des Dolmetschers und hielt einen Stapel Zeichnungen hoch. Niaz hatte sie im Gefängnis im Iran gefertigt. »Und das?« Zwischen seinen Fingern drehte er ein filigranes Siegel aus Ton, »wer hat das gemacht?« Niaz zeigte auf sich und erklärte, damit signiere er die Originale seiner Arbeiten.

»Du bist Künstler?« fragte der Beamte. Niaz nickte.

Und zum erstenmal, seit er sein vom Vater belächeltes, im irakischen Alltag eher unpraktisches Talent zum Künstler entdeckt hatte, brachte es ihm Glück. »Deine Sachen gefallen mir, ich möchte dir helfen. Du hast zwei Minuten Zeit, um zu entscheiden, für welches Land wir dir ein Transitvisum ausstellen sollen. Zwei Minuten. Wenn dir nichts einfällt, schicken wir dich zurück.«

Zwei Minuten. Das Wenige, was Niaz von Europa wußte oder zu wissen glaubte, ratterte durch seinen Kopf. Von Schweden hatten Freunde abgeraten, zu kalt das Wetter und die Menschen. Vor England hatte er aus Gründen, die er sich selbst nicht näher erklären konnte, Angst. Westdeutschland empfahl sich nicht in Ostberlin. »Dänemark«, blitzte es durch sein Hirn. Vor langer, langer Zeit hatte ihm ein Freund voller Bewunderung erzählt, dort würden im Fernsehen Pornofilme gezeigt. Diese für seinen Freund positive gedankliche Verbindung tauchte aus tiefen Schichten seines Gedächtnisses jetzt wieder auf, und auch wenn ihn selbst die Filme nicht im geringsten interessierten, hörte er sich im nächsten Augenblick zum Beamten sagen: »Dänemark.«

Dort angekommen, wandte er sich von sich aus an die Polizei – und wurde gleich wieder verhaftet, weil sie ihm nicht glaubten. Keine Stempel im ohnehin falschen Paß, keine Papiere, die bewiesen, daß er wirklich Iraker oder besser gesagt Kurde aus Khanakin war. Die Adresse seiner Familie wollte er nicht preisgeben, aus Sorge, sie könnten Schwierigkeiten mit der irakischen Sicherheit bekommen, sollte jemand aus dem Ausland sie kontaktieren und Fragen nach Niaz stellen.

Weil die dänischen Behörden nicht wußten, was sie mit dem nicht Identifizierbaren anfangen sollten, landete er wieder im Gefängnis. Nach denen im Irak und Iran empfand er das dänische Gefängnis allerdings wie ein Hotel: gutes Essen, eine bequeme helle Zelle, höfliches Personal. »Wären die irakischen Gefängnisse auch so gewesen, hättet ihr mich hier nie gesehen!« sagte er den Wärtern, die sich rasch mit ihm anfreundeten, da er von allen Häftlingen der ruhigste und kooperativste war. Die anderen saßen wegen

Raub, Körperverletzung, Vergewaltigung – von denen nahm ihm niemand seine Fluchtgeschichte ab. Sie wurden nicht schlau aus dem Neuzugang, der einfach nur ruhig war, sich über das Essen freute und allen zurückhaltend, aber mit ausgesuchter Freundlichkeit begegnete und sich fast wohl zu fühlen schien. Ein Spitzel vielleicht, der herausfinden sollte, was im Gefängnis so lief? Oder ein ganz großes Tier aus dem Milieu; einer, der wußte, daß er nichts zu befürchten hatte, und deshalb entspannt auf den Tag wartete, da seine Jungs die richtigen Strippen zögen, um ihn rauszuholen? Bald setzte sich unter den anderen Häftlingen das Gerücht fest, Niaz sei »der Kerl mit den zwei Kilo Kokain« und das Personal so nett zu ihm, weil er alle bestochen habe. Die Legende machte aus dem politischen Flüchtling einen Drogenbaron mit exzellenten Kontakten und viel, viel Geld. Wenigstens hatte er nun seine Ruhe. Schließlich trieb ein Beamter von der Flüchtlingsbehörde einen Kurden aus Khanakin auf, der Niaz kannte und all seine Angaben bestätigte. Er war frei und konnte Asyl beantragen.

Dänemark wurde ihm zur neuen Heimat, dort studierte er Kunst und Design, dort fand er vorübergehend den Glauben an Glück und Zukunft wieder. Bis die Dänen eine rechtsgerichtete Regierung wählten; bis am 11. September 2001 eine Gruppe von 19 Muslimen zwei Flugzeuge ins World Trade Center in New York und ein weiteres ins Pentagon in Washington steuerten; bis die USA dem Terror und al-Qaida dem Westen den Krieg erklärten.

Von Jahr zu Jahr fühlte er sich in Dänemark weniger heimisch. Bis er sich schließlich entschied, die Rückkehr zu proben und im August 2005 nach Kurdistan kam.

Aber dort ist er auch nicht mehr zu Hause, wie er in den vergangenen Wochen und Monaten gemerkt hat. In ein paar Monaten will er deshalb nach Dänemark zurückkehren. Nicht aus Überzeugung oder gar aus Liebe zu Europa.

Eher aus Verzweiflung über die herrschenden Verhältnisse in Kurdistan. Die Abwägung, welche Nicht-Heimat das kleinere Übel bedeutet, ist durch den Karikaturenstreit jedoch ins Wanken geraten. Hört Niaz von den Millionenverlusten dänischer Firmen durch den Boykott ihrer Produkte in muslimischen Ländern, wird ihm ganz anders zumute: »Die Dänen haben uns Einwanderer vorher schon gehaßt. Jetzt werden sie uns für das, was sie im Namen des Islam verlieren, erst recht bezahlen lassen.« So wachsen, auf andere Weise als bei Ayub, auch bei Niaz die Zweifel an Europa, ohne jeden religiösen Hintergrund.

Am darauffolgenden Tag erreicht der Streit der Kulturen in unserer WG die nächste Stufe der Eskalation. Zunächst sah es nach Entspannung aus; trotz der Verwerfungen vom Vortag sitzen Ayub und Jessica gemeinsam vor dem Fernseher. Doch was einst probates Mittel zur WG-übergreifenden Entspannung war, wirkt momentan eher als Katalysator für Wutreaktionen aller Art. Wenig später jedenfalls höre ich, wie die beiden sich laut und zornig anschreien.

Aus den Erzählungen der verschiedenen Parteien rekonstruiere ich mir das Geschehen wie folgt: Im Fernsehen wurden offenbar Bilder von Demonstranten gezeigt, die die dänische Botschaft in Damaskus stürmten und in Brand setzten. Ob Ayub dies mit einem Auflachen oder einem kurzen Klatschen kommentierte, ist in den Versionen widersprüchlich; eindeutig überliefert ist hingegen Jessicas Reaktion. Sie sagte: *»You are such a fucking loser.«* Wobei offenblieb, ob sie mit dem verdammten Verlierer Ayub persönlich meinte oder generell Menschen, die Meinungsunterschiede austragen, indem sie Gebäude in Schutt und Asche legen.

Das Kulturkampf-Klischee jedenfalls war perfekt erfüllt: Westfrau beschimpft Muslim als Verlierer. Woraufhin der tobend das Zimmer verläßt.

Wenig später kam Mariwan die Treppe herunter. »Warum benutzt du so eine Sprache, Jessica? Warum nennst du Ayub einen Verlierer? Er ist außer sich vor Wut, und das mit Recht.« Dann verschwand er wieder nach oben zu seinem Freund. Sofort fühlte Jessica sich schuldig und rannte ebenfalls nach oben – worauf die Schreierei folgt, die ich bis in mein Zimmer höre.

Als Jessica wieder herunterkommt, nehmen Tiare und ich sie erst einmal mit auf einen Spaziergang im Park. Frischluft zur Deeskalation.

Am nächsten Tag zieht Ayub aus. Jessica hat sich zwar bei ihm entschuldigt, sein Zorn aber rührt mindestens so stark noch von der Debatte mit mir. Soll er gehen; er hatte ja schon angekündigt, nicht mehr für uns arbeiten zu wollen, vor zwei Monaten, als uns das Geld auszugehen drohte. Doch nach all der gemeinsamen Zeit will ich ihn nicht einfach wortlos ziehen lassen und bitte um eine letzte Aussprache.

Hätte ich geahnt, wieviel Wut in ihm steckt, ich hätte zu diesem Zeitpunkt darauf verzichtet. Wir sind zu viert, Jessica, Tiare, ich und Ayub; er will, daß Jessica sich noch einmal bei ihm entschuldige, vor uns allen, für den »Verlierer«, vor allem aber dafür, daß sie ihn vor uns anderen so heruntergeputzt hat. Sie entschuldigt sich. Ayub schweigt. Kerzengerade sitzt er im Sessel und sieht uns mit dem Blick eines Scharfrichters an. Dann kommt die Generalanklage.

»Ihr habt keinerlei Respekt für den Islam! Ihr verachtet die Religion, alle, ihr seid alle gleich.«

»Ich habe überhaupt nichts gesagt«, protestiert Tiare.

»Ayub, wir sitzen nicht hier, um uns von dir beschimpfen zu lassen. Du bist kein Richter, und wir sitzen nicht auf der Anklagebank. Wir wollten in Ruhe noch einmal mit dir reden. Ich respektiere deine Entscheidung auszuziehen …«

Er hört mir gar nicht zu. Den Blick starr geradeaus an uns vorbei gerichtet, redet und redet er; vieles ergibt überhaupt keinen Sinn. Als lauschten wir einem zufällig auf laut geschalteten inneren Monolog.

»Warum regt ihr euch über diese Proteste auf und nicht über das, was in Falludscha passiert? Ihr solltet euch empören über den Hunger im Sudan. Hat je einer von euch einen Artikel über den Giftgasangriff auf Halabja geschrieben? Ihr schiebt immer alles auf den Islam. Wir können nicht in dieses Dorf fahren, weil Schnee auf der Straße liegt? Schuld ist der Islam. Eine Studentin benimmt sich wie ein Esel? Schuld ist der Islam …«

Wo ist der Ayub aus unseren langen Sommernächten auf dem Dach geblieben? Der Safari-Träumer, der Okraschotenkoch, unser Freund? Ich stehe kurz davor, ihn zu schütteln.

»Ayub, wovon redest du?« frage ich statt dessen.

Obwohl er jetzt eindeutig mit mir spricht und ich neben ihm sitze, blickt er immer noch geradeaus. Wie auf Autopilot geschaltet. »Du hast gestern gesagt, die Karikaturen hätten niemanden getötet. In Deutschland mag es das Schlimmste sein, jemanden zu töten. Doch die Werte sind nicht überall dieselben. Die Mohammed-Bilder haben niemanden umgebracht? Für uns waren sie schlimmer, als jemanden zu töten.«

Genug. »Ich glaube, du solltest jetzt gehen, Ayub«, sage ich, »bevor wir Dinge sagen, die wir nachher vielleicht bereuen würden.« Er steht auf und geht.

Wir fühlen uns wie unter Schock und machen uns Sorgen. Was wird Ayub jetzt tun, wohin gehen? Welche der beiden Seelen in seiner Brust wird nun die Oberhand gewinnen? Tiare erinnert sich an eine Unterhaltung mit ihm, als er von einer Reise nach Vietnam zurückkam. Aufgewühlt hatte er ihr von einem Museum über den Krieg erzählt und von der Wut, die er dort auf Amerika empfand. »Eine solche Wut, daß ich manchmal Angst habe, wozu mich diese Wut treiben könnte.«

»Du weißt: Der Stift ist mächtiger als das Schwert«, hatte Tiare damals gesagt und Ayub geantwortet: »Diesen inneren Zweikampf führe ich die ganze Zeit.«

Ich bin mir nie ganz sicher, wie ernst er solche Dinge meint und wieviel davon sich unter Koketterie verbuchen läßt, seinem Spaß an der Provokation entspringt – denn er weiß natürlich um die Wirkung solcher Sätze. Dem Zornesrausch der vorhergehenden drei Tage zum Trotz glaube ich nicht an seinen völligen Bruch mit dem Westen. Hatte Ayub sich nicht gerade in den USA um ein Stipendium beworben, wie auch Mariwan? Aber ich kann mir auch vorstellen, daß er, geriete er jetzt in die falschen Kreise, eine riskant antiwestliche Laufbahn einschlagen könnte.

»Ich hoffe, Ayub bekommt das Stipendium«, sage ich zu Tiare und Jessica. »Das würde ihm die Entscheidung für den Stift sicher erleichtern. Die *Columbia School of Journalism* in New York ist die bessere Schule als Guantánamo. Ich gehe jetzt übrigens einkaufen, im Supermarkt gucken, ob es noch dänische Butter gibt. Unsere ist fast alle. Kommt einer mit?«

Weit und breit keine Lurpak-Butter im Kühlregal, der Dänenboykott hat Suleimania erreicht. Ein paar Kaufleute im Bazar haben sogar Schilder aufgestellt: »Hier werden keine dänischen Produkte verkauft« – auf englisch! Für den Fall, daß ausländische Presse vorbeikommt? Oder weil sowieso nur Ausländer nach dänischer Butter fragen? Die Einheimischen auf englisch über den Dänenboykott zu informieren macht jedenfalls keinen Sinn. Noch etwas läßt mich zweifeln am Ernst, mit dem man Dänemark in Suleimania den Kampf erklärt: Tuborg und Carlsberg Bier gibt es überall zu kaufen. »Ob die nicht wissen, woher das Bier kommt?« frage ich abends Niaz. »Die, die mit Bier handeln und es trinken, schon«, sagt er. »Aber denen sind die Mohammed-Karikaturen egal.«

Frauen am Rande des Nervenzusammenbruchs

Blut bringt Blut. Ein irakisches Sprichwort. Leider auch irakische Realität. Drei Wochen nach den Schockwellen, die die Mohammed-Karikaturen aus dem fernen Dänemark durch unsere WG im Nordirak geschickt haben, holen uns die Ausläufer der nächsten Katastrophe ein: Samarra.

Die historische Stadt 110 Kilometer nördlich von Bagdad beherbergt eine der wichtigsten Pilgerstätten der schiitischen Muslime: die Goldene Moschee mit dem Askari-Schrein. Zwei schiitische Imame liegen dort begraben. Aus einem Keller unter dem Schrein soll außerdem im Jahr 878 al-Mahdi entschwunden sein, der »verborgene« zwölfte

Imam, dessen Rückkehr die Schiiten für den Jüngsten Tag erwarten. Heiliger geht es kaum. In ebendiese Moschee marschierten am 22. Februar 2006 unbekannte Attentäter, töteten einen Wachmann und plazierten Sprengsätze so geschickt am Gebäude, daß die goldene Kuppel einstürzte und der Schrein stark beschädigt wurde. Wenige Stunden später herrschte im Irak Ausnahmezustand. Schiiten stürmten sunnitische Moscheen, bewaffnete Milizen marodierten durch die Städte, wer immer der »anderen« Seite in die Hände geriet, mußte um sein Leben bangen. Der Blutzoll nach zwei Tagen: mehr als 130 Tote.

Irak, melden die Medien weltweit, taumele am Rand des Bürgerkriegs. In Suleimania bleibt alles ruhig. Das Entsetzen über die entfesselte Gewalt aber tragen unsere Studenten ins Haus. Salam aus Bagdad zum Beispiel. Als er zwei Tage nach dem Anschlag sein Auto vor der Villa parkt, ist der schmale junge Mann noch blasser als sonst. Erstaunlich, daß er die Reise überhaupt gewagt hat. Doch in Bagdad bleiben wollte Salam auf keinen Fall. »Ich mußte raus. Zu Hause wäre ich verrückt geworden.« Wegen der angespannten Lage hatten wir alle Kurse verschoben; solange jeder Schritt vor die Tür der letzte sein kann, wollen wir keine Studenten zur Fahrt quer durchs Land ermuntern. Ein paar sind trotzdem gekommen, andere, die schon in Suleimania waren, bleiben länger, weil sie erst nicht zurückreisen wollen, dann nicht können, als eine landesweite Ausgangssperre jede Fahrt zwischen den Provinzen für einige Tage unmöglich macht. Anders weiß die Regierung sich nicht mehr zu helfen gegen die das Land überflutende Gewalt. Alle müssen zu Hause bleiben, vor allem zur Freitagspredigt darf niemand gehen, um zu verhindern, daß Haßpredigten in den Moscheen die Menschen noch weiter gegeneinander aufstacheln.

»Wir sind froh, hier zu sein«, sagen die Studenten, obwohl sie sich natürlich um ihre daheim gebliebenen Familien sorgen. »Noch ein wenig Ruhe, bevor wir wieder zurück müssen ins Herz des Wahnsinns.«

Als ich am nächsten Tag mit einigen von ihnen ein Konzert des irakischen Popsängers Haytham Yussuf besuche – ein Bagdadi, der seit vielen Jahren im schwedischen Exil lebt –, tanzen sie ungestüm wie junge Katzen. Im nächsten Moment haben sie Tränen in den Augen. »Hier können wir tanzen und singen, und in Bagdad schneiden sie sich gegenseitig die Kehle durch.«

Abends führen Tiare und ich die Studenten zum Essen aus. Besonders für die Gäste aus chronisch umkämpften Städten wie Bagdad oder Ramadi eine willkommene Abwechslung; etwas, das sie daheim kaum noch wagen.

»Gestern war der schlimmste Tag meines Lebens«, sagt Salam, und die Mienen der anderen frisch Zugereisten erzählen ähnliche Geschichten. Ich kann mich nicht erinnern, im vergangenen Jahr jemals solche Anspannung, so große Erschöpfung in den Gesichtern gelesen zu haben wie an jenem Abend.

Der schlimmste Tag: Aus dem Mund eines 32jährigen Bagdadi heißt das einiges. Denn es gab viele schlimme Tage in den letzten 32 Jahren im Irak. »In meinem Viertel herrschte nach Samarra absolute Anarchie«, sagt Salam. »Männer zogen mit Raketenwerfern auf der Schulter durch die Straße, keine Armee, keine Polizei versuchte sie aufzuhalten. Es wurde wild geschossen, Moscheen wurden demoliert. Jetzt hat wirklich jeder vor jedem Angst.«

Am Rand des Bürgerkriegs: Ab wie vielen Toten täglich sprechen wir von Krieg? 20, 50, 100, wieviel Blut markiert die Schwelle zwischen Krieg und Frieden? Schon lange vergeht im Irak kein Tag, ohne daß irgendwo Todesschwadronen scheinbar wahllos Menschen erschießen. Andere knüpfen ihre Opfer am hellichten Tag an Straßenlaternen auf. Wer warum von wem ermordet wird – niemand weiß es mehr. Lange vor dem Einsturz der goldenen Kuppel von Samarra hat, im toten Winkel der Weltöffentlichkeit, das Morden zwischen Sunniten und Schiiten begonnen, das offiziell noch niemand Bürgerkrieg nennen mag. Als ließe sich der Teufel bannen, wenn man nur seinen Namen nicht spricht.

Drei Parlamentswahlen und die Verabschiedung einer neuen Verfassung haben im Irak eine Fassade der Demokratie geschaffen; eine Fassade, deren wichtigste Stütze immer noch amerikanische und britische Truppen sind. Dahinter währt seit drei Jahren der lange Alptraum der Anarchie.

Für Salam ist es nicht einmal die Gewalt, die den 22. Februar 2006 zum »schlimmsten Tag« seines Lebens macht. 130 Tote in zwei Tagen sind tragisch, aber, so zynisch das klingen mag, nach irakischem Maßstab nur wenig mehr als an jedem beliebigen anderen Tag. Salam schreckt nicht die Angst vor einem Bürgerkrieg, der ist für ihn mit wechselnder Intensität längst im Gange. Sein Entsetzen rührt von der Erkenntnis, daß für ihn persönlich die wichtigste Schlacht verloren scheint: die um einen säkularen Irak. »Die Religion hat gewonnen«, resümiert er resigniert aus dem Bildersturm nach Samarra. Was das tägliche Morden, die vielen hundert Anschläge auf Leib und Leben in drei Jahren seit dem Einmarsch der Amerikaner nicht geschafft haben, ist mit der Zerstörung eines religiösen Symbols gelungen: Das Volk ist zum Mob geworden, die Religion zum alles entscheidenden Identifikationsmerkmal.

Nicht ganz leicht, in diesen Wirren zu einer Art Alltag in der WG zurückzufinden. Selbst unsere Entspannungsdroge *Lost* will nicht recht funktionieren, auch auf der Insel häufen sich die Konflikte. Zwischen den Gestrandeten gibt es immer mehr *trust issues*, Vertrauenskrisen, von allen Seiten tauchen plötzlich allerlei dunkle Mächte auf, vor denen besonders Mariwan, vorher ein großer Fan, sich grusclt. »Nur eine Folge heute, sonst kann ich nicht schlafen«, jammert er.

Was Tiare zu Beginn des Winters als erste befürchtet hat, spüren wir nun alle immer deutlicher: Das Land setzt uns zu.

An einem Morgen kommt Jessica zu mir und fragt mich ganz besorgt: »Bist du okay, ich habe einen so schlechten Traum gehabt, ganz furchtbar, es ging dir gar nicht gut.« Sie sieht wirklich mitgenommen aus – als habe sie die ganze Nacht versucht, mich vor einem schrecklichen Schicksal zu bewahren.

Tatsächlich ist es mir in jener Nacht nicht gutgegangen, auch ich hatte seltsam geträumt. Ich befand mich aus irgendeinem Grund in der geschlossenen Abteilung einer psychiatrischen Anstalt, das Wochenende stand bevor, und ich sollte eigentlich nach Hause geschickt werden. Doch die für mich zuständige Schwester vergaß mich einfach. Alle gingen heim, und ich trommelte wie wild gegen die verschlossene Tür, bis ich schweißgebadet aufwachte.

»Worum ging es denn in deinem Traum?« frage ich Jessica.

»Du wurdest wegen ›unislamischer Umtriebe‹ von Islamisten bedroht. Sie warfen dir vor, du führtest hier einen Verein zur Förderung der Homosexualität.«

»Hm, und das mit Geld von George W. Bush. Wäre zumindest mal was Neues«, scherze ich. Dabei bin ich eher irritiert: Wieso träumt sie nur wenige Wochen, nachdem Ayub uns als »Verächter des Islam« beschimpft hat, ich würde von Islamisten bedroht? Nachwehen des Streits? Dabei hatte sie, hatten wir Ayub längst wiedergesehen, er ist ja nach wie vor Mariwans Freund. Er ist in ein kleines Appartment gezogen und hat seine Ankündigung wahr gemacht und wieder als Reporter zu arbeiten begonnen, vor allem für die *BBC*: nicht gerade ein Antipode des Westens.

Mein Verhältnis zu ihm ist seit dem Streit freundlich-distanziert, im wesentlichen auf professionelle Fragen beschränkt. Bedroht fühle ich mich aber auf keinen Fall. Nicht von Ayub. Wenn überhaupt, dann von der zersetzenden Kraft der vielen kleinen Dinge.

Wie dem Generator, der sich anschickt, einen mehrfach angekündigten Tod zu sterben. Mindestens einmal die Woche fällt er aus – und unser Haus ins vorelektrische Zeitalter zurück. Kein Kühlschrank, kein Fernseher und – am schlimmsten – kein Internet.

Wie dem Riß, der sich quer durch die Fassade unserer Villa zieht und aus dem bereits der Teer der Dachversiegelung rinnt – als müßten sich die Auflösungserscheinungen im Inneren der WG auch äußerlich zeigen.

Wie der Sorge ums Wohl unserer Putzfrau, Witwe, Mutter zweier Söhne, von denen der eine ihr nichts als Kummer bringt. In der einen Woche ruft die Polizei an, weil der Minderjährige mit einem geliehenen Auto ein Kind angefahren hat; in der nächsten meldet sich das Krankenhaus: Der Sohn liege nach einer Messerstecherei mit Verletzungen an Hals und Schulter in der Notaufnahme.

Irgendwas ist immer. Einen Tag kommt Mariwan völlig deprimiert ins Büro: Ein Grundstück in Halabja, für dessen Kauf er praktisch seine gesamten Ersparnisse verwendet hat, ist von der Partei beschlagnahmt worden. Einfach so. Ohne Begründung, ohne Entschädigung. An einem anderen Tag ruft uns Yassin aus Ramadi an, einer unserer fleißigsten Studenten: Während er gerade bei einem Interview war, hätten amerikanische Soldaten sein Haus durchsucht, seinen Computer, seine Digitalkamera und sein Satellitentelefon zerstört und sämtliches Bargeld mitgenommen. Die Soldaten hätten seine Familie mit vorgehaltenen Waffen in Schach gehalten; zum Glück sei niemand verletzt worden.

Immer häufiger wache ich morgens schon mit dem Gedanken auf, welche kleinen und großen Katastrophen mich am Tag wohl erwarten. Das Land kommt nicht zur Ruhe.

Selbst hier im Norden, wo es eigentlich friedlich ist, ahnen wir unter der Oberfläche immer noch die Fallgruben. Die Möglichkeit des Verderbens ist nicht verschwunden, lediglich zugedeckt. Und wenn wir es am wenigsten erwarten, zeigt sie sich, oft nur für einen kurzen Moment, wie eine konstante Erinnerung an das, was die Menschen und das Land durchgemacht haben. Als Tiare mit Mariwan und dessen Freunden zu einem Picknick fährt, wollen sie sich auf einer großen grünen Wiese niederlassen. Tiare, mit einer lebensgefährlichen Bienenallergie geschlagen, fragt nach Insekten.

»Keine Sorge. Hier gab es einen großen Giftgasangriff, hier ist seit Jahren alles tot«, sagt Mariwans Freund. Und greift sich Salat und Gemüse, um es im Fluß neben der Wiese zu waschen. Wir haben unsere Fähigkeit zu staunen noch nicht verloren. Aber es gibt Tage, an denen wir uns wünschen, es gäbe einfach mal nichts zu staunen.

»Ihr seht aus, als schwärmtet ihr gerade davon, wie nett es wäre, morgen ins nächste Flugzeug zu steigen.« Ich komme aus meinen Zimmer; Jessica und Tiare liegen auf der Couch, der Fernseher ist aus, was so gut wie nie vorkommt, alle und alles im Raum wirkt müde.

Die beiden sehen sich an.

»Nicht ganz«, sagt Jessica. Kurze Pause. »Vielleicht übermorgen.«

»Wißt ihr, was mich mürbe macht?« meint Tiare. »Daß man hier immer mit dem Schlimmsten rechnen muß. Selbst wenn man jemanden nur telefonisch nicht erreicht. Letzte Woche bekam ich zwei unserer Studenten aus Bagdad nicht ans Telefon. Der eine war von einer Gang überfallen und zusammengeschlagen worden, der andere hatte sich wegen einer Morddrohung für ein paar Tage nach Teheran abgesetzt, nachdem kurz zuvor sein Neffe auf offener Straße erschossen worden und in seinen Armen gestorben war.«

Ich muß an ein Gespräch mit Michael denken, unserem britisch-kurdischen Freund, der kurz nach dem Karikaturendrama ein paar Tage zu Besuch gewesen ist. Michael versorgt uns zuverlässig mit gutem Wein und noch besseren Filmen; aus London bringt er immer eine kleine Sammlung der jüngsten DVD-Neuerscheinungen mit. An jenem Abend aber sahen wir gemeinsam Nachrichten: Die *BBC* zeigte neu bekanntgewordene Bilder von britischen Soldaten beim Verprügeln irakischer Jugendlicher. Was Michael, ein äußerst besonnener Journalist und als halber Kurde dem Land sehr verbunden, nach einigem Zögern mit den Worten kommentierte: »Ich scheue mich, so was zu sagen. Aber es scheint etwas Metaphysisches über diesem Land zu liegen. Ein Hang zur Gewalt, der jeden in seinen Sog zieht, der sich länger hier aufhält.«

»Du mußt deswegen kein schlechtes Gewissen haben«, beruhigte ich ihn. »Wir fragen uns ungefähr zweimal täglich: Was ist los mit diesem Ort, diesem Land? Warum fühlen wir uns immer wieder so dunkel, so verloren hier? Kennst du übrigens den polnischen Schriftsteller und Journalisten Ryszard Kapuscinski? Der hat mal, allerdings nicht auf den Irak bezogen, festgestellt, daß die Konstruktion, die Menschen dazu bringt, sich innerhalb der ethischen Grenzen zu bewegen, sehr zerbrechlich sei. Vielleicht ist sie hier einfach noch zerbrechlicher als anderswo.«

Allein die Sonne gibt uns Hoffnung. Sie wirft den kahlen Bäumen ein Kleid von zartem Grün über und kündigt den Frühling an. Weg mit den Kerosinöfen, Frischluftsaison.

Für Jessica nähert sich der Jahrestag ihrer Ankunft in Kurdistan.

»An deinem Geburtstag bist du aber wieder zu Hause?« drängelt ihre Mutter, jeden Tag stärker. Ihr Geburtstag fällt auf den 20. März, *Newroz*, den Tag des kurdischen Neujahre. Jessica ist unschlüssig. Den Frühling über, die schönste Jahreszeit in Kurdistan, noch bleiben? Oder sich dem Gefühl der Erschöpfung hingeben und schnell nach Hause fahren?

Dann wird sie krank. Übelkeit, Migräne, Schmerzattakken. Drei Nächte lang tut keiner von uns ein Auge zu. Pendeln zwischen Bett und Badewanne, etliche Fahrten zum Arzt, ins Krankenhaus, Spritzen, kurzfristige Besserung, dann wieder Wimmern und Schmerzensschreie.

Ein Alptraum für alle Beteiligten. Und immer die Angst: Was hat sie nur? Tiare hat bereits den Mann einer Cousine kontaktiert, der als Chirurg bei der US-Armee im Irak arbeitet, um zu eruieren, wohin wir Jessica im Fall einer ernsten Gefährdung bringen können. Die Optionen sind ernüchternd: zu ihm nach Tal Afar – ausgeschlossen, der Ort ist eines der am härtesten umkämpften Dörfer an der syrischen Grenze. In die Militärbasis in Kirkuk? Möglich, aber auch riskant. Was wir uns vorher nicht bewußt gemacht hatten: In Suleimania gibt es nicht ein einziges Krankenhaus von internationalem Standard, keines, dem wir eine zuverlässige Diagnose zutrauen.

Als Mariwan sich kürzlich vor Rückenschmerzen kaum bewegen konnte und wir ihn mit dem Verdacht auf Bandscheibenvorfall zur Ärztin schickten, fragte die ihn: »Sind Sie mit dem Thema Kinderzeugen durch?« Erstaunt sah er sie an: als 26jähriger? Kaum. »Ich frage, weil unser Röntgenapparat schon ein bißchen älter ist. Auswirkungen auf die Zeugungsfähigkeit sind nicht auszuschließen.« Trotz starker Schmerzen verließ Mariwan die Praxis in Windeseile. Ein Röntgengerät der ersten Generation? Jahr für Jahr erhält Kurdistan von der irakischen Zentralregierung fünf Milliarden Dollar aus den staatlichen Öleinnahmen. Was geschieht mit dem Geld? Ins Gesundheitssystem jedenfalls fließt es offenbar nicht.

Am vierten Tag fühlt Jessica sich besser. Wir atmen erleichtert auf, die gesamte WG ist der totalen Erschöpfung nah.

Keine Woche später bucht sie den Heimflug nach New York. Ihr, uns, allen ist klar: Sie muß hier raus. Der Zeitpunkt paßt. Das Radioprogramm, das anzuschieben ihrer Verantwortung oblag, läuft gut; ein von ihr ausgebildetes Team einheimischer Journalisten produziert jede Woche eine 15minütige Sendung im Radiostudio im Erdgeschoß der Villa. »Meine Arbeit ist getan«, sagt Jessica, »ich bin am Ende meiner Kraft. Ich kann dem Land nichts mehr geben. Ich muß jetzt an mich selber denken.«

Kamal

Nach Jessicas Abreise wird es ein wenig ruhiger, in der Villa wie im Land. Noch immer sterben täglich Dutzende Iraker, die Ausgangssperren aber sind aufgehoben, und soweit es geht, versucht jeder, den Alltag wieder aufzunehmen. Ein Alltag jedoch in einem nachhaltig veränderten Land. Vor allem unsere Studenten aus den gemischt-religiösen Provinzen, Städten und Nachbarschaften erzählen von einer neuen Massenbewegung: Wo Sunniten in der Mehrzahl sind, ziehen die Schiiten fort und umgekehrt. Das Land sortiert sich. Ayub berichtet für die *BBC* aus Kut südlich von Bagdad, wo die Kommunalregierung nicht mehr anders konnte, als Flüchtlingslager für die zuströmenden Schiiten aus nördlicheren Provinzen einzurichten. Sehen wir die ersten Schritte auf dem Weg zu einem neuen, ethnisch dreigeteilten Irak? Offiziell hoffen noch alle auf ein vorübergehendes Phänomen. Jede Familie aber, die aufgefordert wird, in ihr Haus zurückzukehren, weigert sich mit den Worten: »Wenn wir zurückkommen, bringen die uns um.«

Nur bei uns sitzen nach wie vor alle nebeneinander und lernen miteinander: Sunniten, Schiiten, Kurden, derzeit, um den wegen Samarra verschobenen Kurs in Wirtschaftsjournalismus bei Tiare zu absolvieren. Emad, unser Yesidi, nimmt daran teil und noch ein paar andere bekannte Gesichter, aber auch neue Studenten wie Ahmed von der regierungsnahen Zeitung *al-Sabah* und Kamal, der sagt, er arbeite für eine kleine schiitsche Wochenzeitung.

Sie bleiben zwei Wochen. Und während draußen das Land immer weiter in Gruppen und Grüppchen zerfällt, wachsen in unserem Klassenzimmer in Suleimania neue Freundschaften heran, lernen Schiiten aus Bagdad zum erstenmal einen Sunniten aus Ramadi kennen, debattiert eine Kurdin aus Suleimania mit einem Sunniten aus Mosul über Ölpreispolitik und Inflation.

Emad und Kamal sind bald unzertrennlich, ständig hängen die beiden zusammen, und Emad, der noch nie in Bagdad war, träumt davon, seinen neuen Freund eines Tages in der Hauptstadt zu besuchen.

Am letzten Abend führen wir sie zum Abschiedsessen aus, ins Restaurant »Eiffel«, das wir immer noch »Evil« nennen. Ich sitze neben Emad und Kamal, und Kamal fragt mir, mit Emads Hilfe als Übersetzer, ein Loch in den Bauch. Woran die Menschen in Deutschland glauben, wie Männer und Frauen zueinander finden, was wir essen, wie wir wohnen, wie das Land nach dem Zweiten Weltkrieg gewesen sei und wie lange es gedauert habe, bis die US-Truppen abgezogen seien. »Es sind immer noch welche in Deutschland«, erkläre ich, »und da, wo sie gehen wollen, gibt es gegen den Abzug Proteste, weil die Deutschen um ihre Arbeitsplätze fürchten, die so ein Militärstützpunkt mit sich bringt.« Erstaunte Blicke. »Wirklich? Die Menschen wollen gar nicht, daß die Amerikaner gehen?« Er sieht Emad an. »Vielleicht wird das ja eines Tages im Irak auch so sein. Kannst du dir das vorstellen?«

Am nächsten Morgen reisen alle wieder in ihre Heimatstädte zurück. Von dort würden sie ihre Reportagen schikken, über das Wirtschaftsleben im Irak, den Wiederaufbau, die Ölindustrie. Und wir würden die nächsten Tage *Newroz*, das kurdische Neujahr, feiern, Tiare mit Mariwan in Halabja und ich mit Niaz in Khanakin. Ein paar Tage im Grünen, mit Picknick und Barbecue, ist genau das, was wir jetzt brauchen.

In Khanakin brechen wir mit der ganzen Familie und noch zwei Nachbarsfamilien zum Picknick auf: Die Männer laden große Kühlboxen ins Auto, dazu Decken, Schüsseln, Plastikgeschirr, Grill, sogar einen Ofen für den Tee. Picknick im Grünen ist das kurdische Freizeitvergnügen, vor allem seit immer mehr Familien ein Auto besitzen. An Neujahr klingt der Ruf *bo seran*, zum Picknick!, beinahe wie ein Schlachtruf. Hochsaison für *Kurdsat*-Reporter: Die können in zwei Tagen Bildmaterial fürs ganze Jahr sammeln.

Ganze Clans quetschen sich in ein Fahrzeug, zehn, zwölf Personen, auf den Vordersitzen, der Rückbank, im Kofferraum, und dann beginnt der Exodus: Morgens im Schritttempo hin, in Sichtweite Hunderter anderer Familien essen, tanzen, trinken, reden und abends in der Kolonne wieder zurück.

Darüber, was ein idealer Picknickplatz ist, gehen die kurdischen Vorstellungen und meine weit auseinander. Das Auto gehört für die Kurden quasi mit zur Familie, es sollte beim Picknick auf jeden Fall in der Nähe sein. Weshalb die beliebtesten Picknickplätze gleich neben der Straße liegen: parken, ausladen, niederlassen. Ich beobachte das überall entlang des Weges und bin fest entschlossen, nicht neben der Straße zu grillen. Wofür dann überhaupt ins Grüne fahren?

Wir einigen uns in der Mitte. Das Auto wird in Sichtweite abgestellt, nah genug, um noch erkennbar zur Familie zu gehören, aber weit genug, mir das Gefühl eines Picknicks auf dem Parkplatz zu nehmen.

Die Sonne scheint, die Kurden tanzen, und ich mache mich im Gras lang. Einer der entspanntesten Tage seit langem. Fast kann ich hören, wie die Wintermüdigkeit aus meinen Knochen kriecht. »Wenn der Frühling kommt, wächst das Gras sogar unter einem großen Stein«, heißt ein kurdisches Sprichwort – und ich merke, wie das Grün, die Sonne, der laue Wind der Last der vergangenen Monate ein wenig ihrer Schwere nehmen.

Ich weiß: Auch ich muß bald nach Hause. Wenigstens für eine Weile. Kraft schöpfen. Meine Sichtachse für die Normalität justieren. Frauen und öffentliches Leben um mich haben. Ob ich nur Urlaub machen werde oder ganz zurückkehre, weiß ich noch nicht. An einem Frühlingstag wie diesem kann ich mir eine Wiederkehr durchaus vorstellen. Das Geld für unser Projekt ist nach der E-Mail-Rettungsaktion bis Jahresende gesichert. Das aber wären noch einmal neun Monate Kurdistan. Würde ich das aushalten?

Eine Woche später stolpert Tiare weinend in mein Zimmer. Ich sitze gerade am Computer und schreibe für London Berichte über das letzte Training, Tiares Wirtschaftskurs: Namen und Herkunft der Studenten, Lehrplan, vereinbarte Geschichten. Schluchzend steht sie in der Tür. »Einer unserer Studenten wurde in Bagdad getötet«, die Worte kommen ihr kaum über die Lippen, »Kamal, aus meinem letzten Kurs. Er ist tot. Tot!«

Ich nehme sie in den Arm. Ich selbst kann nicht weinen. Noch nicht, ich fühle mich wie schockgefroren, zugleich gehen mir tausend Fragen durch den Kopf: Was ist geschehen? Wer hat ihn getötet, wie und warum?

Tiare weiß selbst noch nicht viel, außer daß er bei einer sehr umstrittenen Razzia auf eine schiitische Moschee umgekommen ist, erschossen, noch ist unklar von wem, ob von amerikanischen oder irakischen Soldaten, ob absichtlich oder aus Versehen.

Kamal Manahi Anbar aus Bagdad, 28 Jahre alt, acht Geschwister, preisgekrönter Bodybuilder und innig gläubiger Schiit, seit sechs Monaten verheiratet, seine Frau im dritten Monat schwanger. Der achte im Irak getötete Journalist in diesem Jahr, der 68. seit Kriegsbeginn. Und der erste getötete *IWPR*-Trainee im Irak, seit unsere Organisation im Sommer 2003 mit der Ausbildung irakischer Journalisten begonnen hat.

Wie wir erst jetzt erfahren, hatte Kamal seiner Familie nichts von dem Journalistentraining in Suleimaina erzählt. Zuvor hatte er als Taxifahrer gearbeitet, wollte das aber nicht mehr, nachdem er mehrmals an der Straße versteckten Sprengsätzen nur knapp entgangen war.

Ob er erst Fuß fassen wollte im neuen Beruf oder ihn aus Sicherheitsgründen selbst vor den engsten Angehörigen geheimhalten wollte, wir werden es niemals erfahren. So wie auch die letzten Details um seinen Tod wohl für immer ein Geheimnis bleiben.

Wir fragen, wen wir können. Aus allen Antworten kristallisiert sich allmählich folgendes Geschehen heraus: Am 26. März 2006 machte sich Kamal mit einem Freund auf den Weg zur ersten Recherche seines jungen Reporterlebens. In der *Husseiniya al-Mustafa*, einer schiitischen Moschee im

Bagdader Stadtteil Shaab, wollte er einen Scheich zur wirtschaftlichen Lage von Familien interviewen, die vor ethnischen Konflikten aus ihren Vierteln geflohen sind. Die Geschichte wollte er dann, hatte er seinem Freund erzählt, uns für unsere Webseite anbieten.

Er hätte keinen schlechteren Zeitpunkt wählen können. Kaum hatten die beiden die Moschee erreicht, bogen amerikanische Militärfahrzeuge um die Ecke, US-Soldaten und irakische Truppen rückten ins Viertel ein, und sofort brachen Feuergefechte aus.

Kamal und sein Freund rannten auseinander und suchten in unterschiedlichen Ecken Zuflucht. Kamal sprang über einen Zaun in den Garten des Hauses neben der Moschee, dessen Besitzer mit seiner Familie ebenfalls vor den Schüssen Deckung suchte. Kamal schrieb der Familie seinen Namen und die Telefonnummer seiner Eltern auf ein Stück Papier – falls ihm etwas zustieße. Als die Kämpfe nachzulassen schienen, wagte er sich auf die Straße. Er wollte versuchen, auf die andere Seite zu gelangen, um von dort das Viertel zu verlassen. Er kam nicht weit. Vor dem Tor streckten ihn zwei Kugeln nieder, eine durchschlug den rechten Wangenknochen, eine traf ihn am Hals. Gezielte Schüsse? Ein Versehen? Sein Freund fand die Leiche kurz darauf, als er aus seinem Versteck kam und nach Kamal suchte.

In den Nachrichten heißt es später, irakische und amerikanische Truppen hätten in einer erfolgreichen Aktion gemeinsam ein Terroristenversteck in Bagdad gestürmt, dabei seien 16 Aufständische getötet und eine Geisel befreit worden. Von toten Zivilisten kein Wort. Irakische Medien beschuldigen die Amerikaner eines Massakers: In der Moschee seien reihenweise Unbewaffnete beim Gebet regelrecht hingerichtet worden. Auch Monate später sind die Umstände der Razzia in der Moschee in Shaab nicht vollständig geklärt, wie in zig anderen Fällen, bei denen Zivilisten starben, auch.

Emad nimmt die Nachricht vom Tod seines Freundes erstaunlich gefaßt entgegen. »Ich lebe im Irak«, sagt er, »wir müssen immer mit so etwas rechnen.« Erst sein nächster Satz zeigt mir, wie tief getroffen er tatsächlich ist. »Ich habe meine Arbeit beim US-Militär aufgegeben, weil ich es nicht mehr ertrug, ständig Freunde zu verlieren. Ich bin zu euch gekommen, ins friedliche Suleimania. Hier habe ich neue Freunde gefunden. Und wieder verliere ich sie an den Tod. Ich möchte keine neuen Freunde mehr. Irak ist kein gutes Land für Freundschaften.« Am Tag, als Kamal starb, trug er das T-Shirt, das Emad ihm zum Abschied geschenkt hatte.

Tiare erholt sich nur langsam von dem Schock. »Ich glaube, ich bin für dieses Land nicht geschaffen. Wie können die Menschen inmitten all dieses Sterbens einfach immer weitermachen?« Sie ist fast wütend auf unsere kurdischen Kollegen, die relativ zügig nach Kamals Tod zur Tagesordnung übergehen.

»Niemand ist für dieses Land geschaffen, Tiare«, sage ich. »Aber die Menschen hier haben gelernt, mit allem fertig zu werden, was das Leben ihnen so in den Weg legt, und sei es der Tod.« Ich lese ihr eine E-Mail vor, ein Freund aus Bagdad hat sie nach der Nachricht von Kamals Tod als Trost geschickt: »In Kurdistan trauern die Menschen, wenn einer der ihren stirbt – weil er schon auf Erden im Paradies war. In Bagdad sind sie froh – weil der Gestorbene endlich dieser Hölle auf Erden entkommen ist.«

Dann gehen wir gemeinsam im Park spazieren.

Aufbruch

Mit leichtem Gepäck

Flughafen Frankfurt, Terminal E, 31. Juli 2006. Um mich herum Gepäckwagen, die unter dem Gewicht kompletter Hausstände ächzen. Männer mit Schnurrbart und resolute Großmütter halten Türme aus Stereoanlagen, Aldi-Tüten und schrankgroßen Koffern in Schach, während junge Frauen mit schlaftrunkenen Babys über den Schultern in der Halle auf und ab spazieren. Das wöchentliche Vorspiel des Nachtflugs Frankfurt – Erbil. Langsam, wie auf Treibsand unterwegs, schiebt die schwerbeladene Karawane sich dem Check-in-Tresen von *Kurdistan Airlines* entgegen.

Ich reise als einzige mit leichtem Gepäck.

Viel werde ich nicht brauchen für meine letzten Monate in Kurdistan. Am Flughafen in Erbil wird wie immer mein Fahrer Akram auf mich warten. Auf der dreistündigen Autofahrt durch die Berge wird er mit dem mir so vertrauten »*Suleimania hoscha. Erbil na hoscha*« die Vorzüge seiner Heimatstadt gegenüber Erbil preisen, wird er von seiner Zeit als *Peschmerga* erzählen und davon, daß die heutigen Kämpfer nichts mehr taugen. Bei Erreichen der Stadtgrenze Suleimanias wird er dem Soldaten am Checkpunkt sagen *»Sahafiya«*, Journalistin sei ich, woraufhin sie zur Seite treten und den Weg in die Stadt freigeben werden. Zehn bis zwanzig Minuten später, je nach Verkehr, werden wir vor der Villa parken. Shirwan, Dana, Alan, Hadi und Mariwan werden mich begrüßen, drei Monate habe ich sie nicht gesehen. Auszeit in Deutschland, *summer in the city*: Unbemerkt durch die Straßen gehen, Galão trinken beim Portugiesen, Mojito in der Beach Bar an der Elbe, nackte Schultern, kurze Röcke, WM-Fieber, Fahrrad fahren, Sushi essen, *Ayurveda*-Massage, im Bikini an den See, rund um die Uhr Strom, kein lärmender Generator vor der Tür.

Vorbei. Kurdistan wartet, denn vor meiner Abreise hatte ich versprochen: Ich komme zurück. »Komm bald!« schrieb Shirwan, schrieb Dana, obwohl sie ahnen müssen, daß ich zurückkomme, um Abschied zu nehmen.

Akram wird mein leichtes Gepäck in den ersten Stock tragen und fragen: *»Hamu?«*, ist das alles? Tiare wird auf mich warten in der Villa, die mir, die uns im letzten Jahr zur Heimat geworden ist und die doch nur Zwischenstop bleiben wird, ein Zuhause auf Zeit. Eine Kreuzung, an der die Leben sehr verschiedener Menschen sich berührten und von der wir erneut ausziehen werden in die Vielfalt der Welt. Oder bereits ausgezogen sind.

Tiare und Mariwan werden bei meiner Ankunft auf gepackten Koffern sitzen, bereit für den Aufbruch nach Amerika. Mariwan hat, wie Ayub auch, Zulassung und Stipendium für ein Aufbaustudium in den USA bekommen. Er wird an der *University of Colorado at Boulder* Journalismus studieren, Ayub an der *Columbia School of Journalism* in New York. Ein bißchen stolz sind wir alle darauf.

Tiare wird mit Mariwan nach Boulder gehen, will sich dort einen Job suchen, »und dann mal sehen«. Irak? »Ich glaube nicht, daß ich noch einmal für länger dorthin gehen werde. Vielleicht in zehn Jahren, wenn Bagdad friedlich ist.«

Mariwan will auf jeden Fall zurück – nicht nur, weil die kurdische Regierung, die sein Stipendium finanziert, als Rückkehrgewähr das Haus seines Cousins gepfändet hat. Er will als Journalist in Bagdad arbeiten oder in Kurdistan die zarten Sprößlinge einer freien Presse großziehen. Reisen, ja – aber nicht auswandern. »Nicht jetzt, wo es so viele Möglichkeiten gibt, etwas für mein Land zu tun.« Was aus den beiden wird? In einem Jahr wissen wir mehr.

Ein großes Fragezeichen immerhin haben Tiare und ich schon hinter uns gebracht: die Begegnung im »normalen« Leben. Oft saßen wir in Suleimania auf dem gelben Sofa und überlegten, ob wir uns wohl je außerhalb unserer bizarren kleinen WG-Welt träfen. Und wir uns dann fänden.

Dann hat sie mich während meiner Auszeit einfach in Hamburg besucht, als auch sie ein paar Wochen Urlaub von Kurdistan machte.

Sie kam mit dem Zug aus Berlin, ich holte sie in Hamburg am Bahnsteig ab. »Unterwegs habe ich überlegt, was du wohl anhaben wirst«, sagte Tiare, als wir wenig später um die Alster spazierten, unter großen alten Bäumen, für uns beide nach dem kahlen Kurdistan ein Traum. »Einen kurzen Rock? Enges T-Shirt? Mir fiel auf, daß ich nicht mal weiß, wie deine Beine aussehen – obwohl wir so lange zusammen wohnen. Und tatsächlich: Du kamst im kurzen Rock!« Sie grinste. »Jetzt lerne ich die echte Susanne kennen.«

Die echte Susanne. War die, mit der sie in Kurdistan gewohnt und gearbeitet hat, nicht echt? War ich dort eine andere, war Tiare dort eine andere? Über die Kleidung, das den lokalen Sitten maßvoll angepaßte Sozialverhalten hinaus – waren wir im Kern andere, als wir zu Hause sind? Habe ich mich, haben Gina, Jessica, Tiare sich im Irak neu erfunden, haben wir einander ein anderes Gesicht, eine andere Persönlichkeit gezeigt, als unsere alten Freunde von uns kennen?

Kaum. Ich jedenfalls glaube das nicht. Aber wir haben Facetten voneinander gesehen, die unsere Familie, unsere engsten Freunde nicht kennen, vielleicht niemals kennenlernen werden. Einfach weil die Verhältnisse, unter denen wir mit ihnen leben, andere sind.

Vor allem haben wir uns selbst besser kennengelernt. Haben Grenzen ausgelotet, in Abgründe geblickt und unsere Werteskala neu justiert. Was mir wichtig ist, weiß ich heute genauer denn je: ein Leben frei vom Zwang zu Konformität, in dem ich selbst entscheiden kann, wie und mit wem ich leben möchte. Ob mit Kindern oder ohne, mit Mann oder ohne, mit Gott oder ohne.

Das andere Ich: Man kann sich das vorstellen wie die zwei Figürchen eines Wetterhäuschens. Erst bei entsprechenden Druckverhältnissen zeigt sich die andere, die Schlechtwetterfigur, die zuvor im Dunkel des Häuschens verborgen war. Unser Irak-Repertoire, die Art, wie wir auf Druck, Beschränkungen, Gefahren, Extremlagen reagieren, wird im Alltag daheim selten bis nie abgefragt. Die andere Susanne – für Tiare ist das die Schönwetterfigur, die nicht ständig eine neue Ausnahmesituation meistern, nicht jeden Augenblick auf das Schlimmste gefaßt sein muß, die nicht ans Gerede der Nachbarn denkt, wenn sie vor dem Kleiderschrank steht, die gern mal einen tiefen Ausschnitt und hohe Schuhe trägt, kaum Fernsehen guckt, viele Bücher besitzt und eine

Wohnung, »die ganz anders aussieht«, als Tiare sie sich vorgestellt hat: »So *bohemian* – ich hatte eher ein durchgestyltes Großstadtloft erwartet.«

Ich kenne bislang nur Bruchstücke des »Nach Irak«-Lebens der anderen. Am wenigsten weiß ich von Shannon, der Australierin: nur daß sie in Sydney lebt. Nach ihrer überstürzten Abreise hat keiner von uns je wieder von ihr gehört.

Gina lebt mit ihrem Mann Brian in Detroit, im eigenen Haus in *suburbia*, und schreibt für das *Wall Street Journal* über 80 000 Dollar teure Jaguar-Modelle sowie den Zusammenhang zwischen Autovorlieben und dem Stimmverhalten bei Präsidentschaftswahlen (Bush-Wähler bevorzugen spritfressende Geländewagen, Demokraten eher Benzinsparmodelle). Brian hat die Armee hinter sich gelassen, arbeitet ebenfalls wieder als Journalist. Seine erste große Reportage nach der Rückkehr ins zivile Leben: eine minutiöse Rekonstruktion der hochkomplizierten Gehirnoperation, die seinem Truppenführer das Leben rettete; jenem Soldaten, der in der Nacht einen Kopfschuß erlitt, als wir mit Jessica im Garten in Suleimania Pessach feierten. Der Mann hat tatsächlich überlebt, kann laufen, sprechen, sehen – und wird trotzdem nie wieder der sein, der er bis zu dem Moment war, als ihn die Kugel des Scharfschützen traf.

Jessica ist von New York nach Boston gezogen, arbeitet dort für die *BBC* als Radioreporterin. Sie berichtet aus ganz Amerika, vor allem über Migration, Rassismus und Religion. Im Haus eines Harvard-Professors hat sie ein Appartement mit Kamin, edlen Antikmöbeln und Wintergarten gemietet. »Kommt mich besuchen!« mailte sie, kaum eingezogen. »Ich habe jede Menge Platz.« An ihrem Geburtstag, kurz nach ihrer Rückkehr aus Kurdistan, führten ihre Eltern sie zu einem Überraschungsdinner aus, sie im neuen Kleid, mit Netzstrümpfen »und sexy Stiefeln. Ein bißchen Bein zu zeigen ist ein großes Gefühl der Befreiung für mich.« Sie klingt ausgesprochen glücklich in ihren Mails, ein Zustand, den ich an Jessica nicht oft erlebt habe im vergangenen Jahr. »Ich fühle mich, als hätte ich im Lotto gewonnen.« Der Job, das Appartement, alles paßt. Für die Wohnung habe sie sich in dem Moment entschieden, als sie sie zum erstenmal betrat – »sehr ungewöhnlich für mich. Ich hätte meiner Gewohnheit treu bleiben können, mir selbst nichts zu gönnen, und ein WG-Zimmer suchen können für den halben Preis. Aber ich beschloß, nicht zu lange darüber nachzusinnen und kein Drama aus der Entscheidung zu machen – ich habe echte Fortschritte gemacht!«

Hiwa und Ava leben nach wie vor in Bagdad, im Gefolge der Macht. Fast ein halbes Jahr nach den Wahlen im Dezember 2005 wurde Talabani als Präsident im Amt bestätigt, diesmal für fünf Jahre. Ob die beiden es so lange hinter den Mauern der Green Zone aushalten werden?

Ich beobachte das Treiben in der Frankfurter Schalterhalle. Kurdische Satzfetzen wehen durch den Raum, hin und wieder ein paar Wörter Arabisch. Noch anderthalb Stunden bis zum geplanten Abflug um kurz vor Mitternacht, und nicht einmal die Hälfte der Karawane hat ihre Lasten am Schalter abgeladen. Zähes Vorankommen, um jedes Kilo Gepäck wird gerungen, als hinge davon das Überleben der ganzen Familie ab. 20 Kilo sind erlaubt, manche schleppen derer 80, 90 an.

Ich muß an Niaz denken. Wie er vor 24 Jahren als Flüchtling nach Europa kam, nur eine Tasche und ein paar Zeichnungen dabei, die er im Lager im Iran gefertigt hatte. Eine echte Stunde Null, er mußte sich wirklich neu erfinden, mußte ein Leben jenseits von Folter, Krieg und Angst beginnen. Doch wie lebt man etwas, das man gar nicht kennt? Wie wird man vom Überlebenstalent zu einem, der das Leben genießen kann?

Ein langer Lernprozeß, vielleicht ein lebenslanger.

Ein paar Wochen vor meiner geplanten Rückreise nach Suleimania hat Niaz mich in Hamburg besucht. Als wir gemeinsam durch mein Viertel liefen, berührten sich zwei Welten, deren einzige Schnittmenge sonst ich bin. In meinem Kopf mischten sich Bilder und Gefühle. Wie ein Mixer verquirlte Niaz' Gegenwart Fragmente meiner sonst so getrennten Paralleluniversen, und noch war mir nicht klar, ob und wie gut sie sich vertrugen.

Wir müssen einander im normalen Leben erst kennenlernen, müssen ausloten, was uns in Europa verbindet, wie wir, wenn die Außenwelt nicht rauh ist und feindselig wie im Irak, zueinander stehen und füreinander fühlen.

In Kurdistan waren wir beide fremd, auf unterschiedliche Weise zwar, doch es reichte für ein Wirgefühl gegenüber den anderen, den »echten« Kurden. Was aber verbindet uns über dieses in Kurdistan erlebte Wirgefühl hinaus? Das können wir erst prüfen in einer Umgebung, in der dieses Band nicht wie ein greller Scheinwerfer alle sonstigen Konturen unseres Miteinanders überstrahlt.

Ein großer Unterschied zwischen hier und dort: In Europa fühle ich mich nicht fremd, und ich wünschte, das gälte auch für Niaz. Doch zählt das Gefühl des Fremdseins zu jenen, die von außen nur begrenzt beeinflußbar sind. Ein kompliziertes Mosaik aus unendlich vielen Partikeln, von denen wir viele nicht bewußt benennen können, bis wir sie zum erstenmal konkret spüren.

En miniature: Wir treffen in Hamburg Freunde von mir, ein Ehepaar, beide um die 50. Als wir wieder in meiner Wohnung sind, fragt Niaz: »Wie viele Kinder haben die beiden?« Ich stutze kurz über die in der Frage schwingende Selbstverständlichkeit und antworte dann: »Keine.«

»Wer von beiden kann keine bekommen?«

»Wie kommst du darauf, daß sie keine bekommen können?«

»Menschen in dem Alter haben normalerweise Kinder.«

»In Kurdistan vielleicht. Hier ist es durchaus eine normale Option, sich für ein Leben ohne Kinder zu entscheiden. Das mußt du doch auch aus Dänemark kennen. Hast du keine Freunde ohne Kinder?«

»Hm, eigentlich nicht.«

Verwundert höre ich uns reden, nicht mit dem vertrauten Wirgefühl, sondern als Europäerin und Kurde. Diesen Dialog habe ich, in Variationen, in Kurdistan viele Dutzend Mal geführt – aber niemals mit Niaz. Leichtes Befremden: Nahm ich in Kurdistan stärker den Europäer an ihm wahr und in Europa mehr den Kurden? Oder war er es, der dort die eine und hier die andere Seite betonte?

So oder so steht fest: Wir brauchen eine neue Basis für unser Wirgefühl. Wie und wo wir die finden – noch weiß ich es nicht.

Noch immer schiebt sich die Karawane der Koffer in Richtung Schalter. Anders als vor 24 Jahren reist auch Niaz heute meist mit schwerem Gepäck. Als ich ihn Ende April bei seiner Ankunft aus Erbil am Kopenhagener Flughafen abholte, konnte er Taschen und Koffer kaum vom Fleck bewegen. Beim Abflug nach Kurdistan acht Monate zuvor hatte auch er, wie jetzt die Menschen vor mir, am Schalter um jedes Kilo gefeilscht – überzeugt, er sei auf dem Weg in die Heimat, endlich, und kehre höchstens noch einmal zurück, um den Rest seiner Habe nachzuholen.

Es kam anders, der Plan ist nicht geglückt. Der Rückkehrer fühlte sich auch in der alten Heimat fremd. Schwerer als an den Koffern trägt er nun an sich selbst. An geplatzten Träumen, am Verlust der Heimat. Kein Weltensammler, sondern einer, der sich zwischen den Welten verloren fühlt.

Hier am Frankfurter Flughafen, inmitten der Kofferberge kurz vor dem Einchecken nach Kurdistan, blitzt mir durch den Kopf: Menschen, die wissen, wo sie hingehören, reisen mit leichtem Gepäck. Weil sie das Wesentliche in sich tragen; das, was kein Ding der Welt ersetzen kann, was in keinen Koffer paßt: das Gefühl der Zugehörigkeit, eine innere Heimat.

Und ich freue mich, daß neben mir nur eine kleine Reisetasche steht.

Christian Schüle
Türkeireise

Von unerhörten Begegnungen, erfüllten Sehnsüchten und der Suche nach Europa. 304 Seiten mit 24 farbigen und 2 Schwarzweißfotografien von Irina Ruppert und einer Karte. Gebunden

Ostanatolien und die Nähe zum Kaukasus, der arabisch geprägte Süden, die Grenzen zum Iran und Irak: Christian Schüle ging dort auf die Suche nach der türkischen Seele, wo für die meisten die Türkei bereits zu Ende ist. Wochenlang hat er das geheimnisvolle Land bereist, über das so viele urteilen, obwohl es ihnen unbekannt ist. In den Dörfern im konservativen Inneren, auf den Hochplateaus der Berge, an den Süd-, Nord- und Westküsten traf er auf Menschen, die zwischen Atatürk und Allah ihrem Leben einen Sinn abringen. In Kappadokien begegnete er Hatice, der Tochter des Limonenhändlers, die mit fünfundzwanzig schon ihren vierten Freund hat, aber noch nie richtig geküßt wurde. In Trabzon erfuhr er, warum alle Huren Natascha heißen, und im weltberühmten Antakya, warum sich alle vor dem feinen Herrn Yurttas verbeugen. Er ließ sich vom Zufall durch ein faszinierend fremdes Reich leiten, das die Geburtsstätte der Bibel und die Wiege abendländischer Kultur ist.

02/1070/01/R

MALIK

Ilija Trojanow

Zu den heiligen Quellen des Islam

Als Pilger nach Mekka und Medina. 176 Seiten. Gebunden

»Von Kindesbeinen an, wenn er zum ersten Mal vernimmt, daß die Hadsch – die Pilgerfahrt nach Mekka – zu den Pflichten eines jeden Moslems gehört, sehnt sich der Gläubige danach.« Unter Hunderttausenden moslemischer Pilger nahm der Schriftsteller Ilija Trojanow 2003 an der Hadsch teil, der größten Glaubensbezeugung des Islam. An einem Morgen im Januar legt er in Bombay unter Anleitung seiner Freunde den Ihram, das traditionelle Pilgergewand, an und steigt in die Maschine nach Dschidda. Wenige Stunden später ist er in Mekka, nach drei Wochen zurück in Indien. Dazwischen liegen eine unendliche Fülle von Eindrücken und das allmähliche Begreifen des Wesens einer Religion zwischen Verheißung und Realität. Dazwischen liegt das Erleben einer über tausend Jahre alten Tradition und einer persönlichen Pilgerschaft als Kulmination aller Sehnsüchte, als einzigartige Auszeit, so reich an Mühsal und Zermürbung wie an Belohnung und Beglückung.

02/1056/01/R

Margret Greiner

»Miss, wie buchstabiert man Zukunft?«

Als deutsche Lehrerin in Jerusalem. 250 Seiten mit 8 Seiten Farbbildteil. Gebunden

Den ersten unverzeihlichen Fehler macht Margret Greiner, als sie ihren Schülerinnen erzählt, wie sehr sie Israel liebe. »Miss, du bist hier in Palästina, nicht in Israel«, antwortet ihr Khoulud, die Augenbrauen steil wie ein Minarett, »liebst du Palästina? Wenn nicht, kannst du wieder gehen. Du kannst ja nach Israel gehen.«
Es dauert eine Weile bis Margret Greiner versteht, auf welche Gratwanderung sie sich eingelassen hat: Die deutsche Lehrerin wohnt im israelischen Teil von Jerusalem und unterrichtet an einer palästinensischen Schule, wo Juden als Feinde gelten, als Besatzer. Jeden Tag geht sie über die Grenze von der westlichen in die arabische Welt und wieder zurück.
Wie lebt man in diesem Dazwischen? Wie sieht der Alltag aus in einer Stadt, in der sich Israelis und Palästinenser erbarmungsloser denn je bekriegen? Margret Greiner ist zerrissen wie die Stadt, in der sie immer leben wollte. Gerade deshalb kann sie so eindringlich erzählen – von den vielen Widersprüchen zwischen dem Sehnsuchtsbild der mythischen Stadt und der ausweglosen Situation im gegenwärtigen Jerusalem.

02/1035/02/R

Zacho
Urmiase
Dohuk
Tigris
Kurdistan
Baschika
Ninive
Tal Afar
Mosul
Nahr az-Zab
Salaheddin
Ranya
Erbil
Koya
Dokan-Stausee
Dokan
Suleimania
Kirkuk
Nahr az-Zabas
Hawidscha
Beidschi
Tuz Khurmatu
I R A K
Kifri
Tikrit
Khanaki
Alwan
Samarra
Tigris
Buhairat at-Tartar
Provinz Diyal
Dujail
Bakuba
Euphrat
Ramadi
Falludscha
BAGDAD